小学館文庫

ようこそ、わが家へ

池井戸 潤

小学館

目次

ようこそ、わが家へ

第一章　現代ゲーム私論

1

　その日、中野にある職場を出た倉田太一《くらたたいち》は、総武線で新宿まで行き、そこでＪＲ山手線に乗り換えた。もう八時過ぎだというのに外気温は三十度を超したままだ。少し前にどこかの駅で人身事故があったらしく電車が遅れ、束の間の涼《りょう》を求めたはずの車内は、期待に反する結構な混雑ぶりであった。

　いつもよりゆっくり目に新宿駅を出発した電車は、まだダイヤが乱れているのか途中で小休止したりしながら次の代々木駅へ向かう。遅れを詫《わ》びるアナウンスに、車内のどこかからちっと舌打ちが聞こえた。

　七月二十四日の午後八時半過ぎのことである。日時を覚えているのは、その日が自宅近くの花火大会だったからだ。倉田の家族がそれを見物にいっているはずだった。花火は七時半から八時半までの一時間。もし仕事が早く片づくようだったら合流しようよ、と長女の七菜《なな》からいわれていたが、結局間に合わなかった。もっとも、この暑いのに人混みの中に行くのは気が進まず、倉田自身、あまり積極的ではなかったということもある。

代々木駅でドアが開いたところで、入り口付近にいた倉田は押し出されるようにして一旦、電車の外に出なければならなかった。東京の電車ではよくあることだが、混雑しているときにはドア付近の客は一旦車外に出て、客が降りてからまた乗り込む。どこかで花火大会があったのかホームには浴衣《ゆかた》姿の若者がちらほらと混じり、夏の夜らしい余韻《よいん》をほのかに香らせている。

花火はともかく、浴衣姿を見るのはなかなかいいものだな。そんなことを倉田が思ったときのことである。

すぐ近くの階段を駆け上がってきた若い男が、人の列を無視して車内に入ろうとした。きゃっ、という声があがり、男の肩に突き当てられた浴衣姿の娘がよろめく。

ひどい順番抜かしだ。

いつもの倉田だったら、ただ眉を顰《ひそ》める程度で見過ごしたかも知れない。元来倉田は攻撃的な性格ではないし、どちらかというと見て見ぬフリをする臆病なタイプである。

ところがこのときは違った。気づいたとき、倉田は割り込んできた男の胸の前に腕を突き出していたのだ。

「順番を守りなさいよ！　あぶないじゃないか！」

という言葉と共に。その直前、この男のせいで若い娘がよろめいたのを見てしまったのも倉田の背を押した原因だったかも知れない。まるで自分の娘が危ない目に遭わされたような憤《いきどお》りを感じたのである。

ところが、男は無視してそのまま乗り込もうとした。そこで倉田が、がんばった。腕にかかった男の体重を押し返し、手を振り払う。今度は男のほうがよろけ、その胸ポケットの中味が飛び出して足下に落ちた。

たたらを踏んだ男が、物凄い形相で倉田を睨《にら》み付けてきた。

三十代だろうか、長い髪を顔の両側から垂らし、眼鏡をかけた浅黒い顔をした男だった。身長百七十センチ程の、痩《や》せた体つきだ。

倉田は自分の心臓の鼓動をきいた。首筋の辺りがぴくぴくして、自分も相手を睨み付けようとしたが、その目に力は湧いてこなかった。だが、そのとき背後から、「そうだ。順番守れ」という声が聞こえて凍り付いたような睨み合いの呪縛《じゅばく》が解けた。

男は諦《あきら》めたようにその場を離れて向こうのドアへと歩いていき、乗客がぞろぞろと車両に吸い込まれていく。何か保護者のような気持ちになって浴衣姿の娘さんたちに順番を譲った倉田は、最後に乗り込んでドア側に立った。

発車のメロディが鳴り終わり、まだ心臓をばくばくさせている倉田の目の前でドアが閉まる。

ゆっくりと電車が動き出した。頭痛がするほどアドレナリンが回っている。まだ誰かに見られているような気がして落ち着かなかった。短く息を吸い込み、ふとそれまで立っていたホームを見下ろす。気を落ち着かせようとしたそのとき、倉田の視線がある物をとらえた。

タバコの箱だ。

ショートホープ。

そういえば、さっき男の胸ポケットからなにかが飛び出したなと思ったとき、なぜだろう、忘れかけていたある記憶がまざまざと蘇《よみがえ》った。そして、唐突に蘇ったその記憶の断片にふれた瞬間、倉田はその小さな箱から視線を逸《そ》らすことができなくなった。

あれは——あれは、たしか小学四年生の夏休みのことだった。宿題をがんばるからと頼み込み、仕事が忙しい父に無理をいって釣りに連れていってもらったのは。

父は東京の下町にあった会社で経理をやっていた生真面目な男だった。ちょうど日本が高度成長期にさしかかっていた頃、製造業全盛の時代で仕事は忙しく、帰りは毎晩終電近い。いまのように週休二日ではなかったし、父は、日曜日もほとんど休み無く働いて家にいなかった記憶がある。

夏休みだというのに家族で遊びにいく計画はまるで無くて、倉田は日々を持て余していた。毎日ラジオ体操へ行き、学校のプールへ行く。でも、それだけ。

そんなとき、友達の誰かが父親に海釣りへ連れていってもらったことを自慢しているのを聞いて、自分も無性に行きたくなった。

「じゃあ、一日だけだぞ」

頼み込んだ倉田に父はそういうと翌日には日程を決め、あちこち釣り好きの人に聞いてどうすれば道具が揃えられるのかとか、どこで何が釣れるのかといったことを調べてきた。約束はしたものの、山育ちの父はそもそも海釣りというものをしたことが無かったのだ。

しかし、一旦こうと決めると、それに向かってこつこつと準備をするのが父の性分で、約束の日までにはおおよその手配を済ませていた。

その日、まだ夜が明け切らぬ頃に父に起こされた倉田は、始発のバスと電車を乗り継いで館山の海へと出掛けた。

房総半島を下る列車の窓から海を眺めながら、倉田ははしゃいでいた。

「父さん、どんな魚が釣れるかな」

「目標、何匹？　ぼく、百匹。すっごく、釣れるんだって」

「釣れたら、その場で料理して食べるらしいよ。ねえ、うちにも持って帰るけど、ぼくたちのお昼ご飯はそれにしようよ」

座席でぴょんぴょん飛び跳ねんばかりに興奮している倉田に話を合わせながら、父も楽しそうに笑っていた。

楽しい夏休みの思い出。そうなることを倉田も父も疑っていなかった。

どこまでも晴れ渡る空と海がはるか彼方で一直線に融合している。凪《な》いでいる海はそれ自体鏡面のようになめらかで、空の青さを忠実に映し込む鏡のようであった。

釣り宿で道具一式とバケツを借りて、防波堤を歩いていく。

父が選んだのは船釣りではなく、防波堤での釣りだった。倉田が船酔いしたりするのを心配したのだと思う。乗り合いの船にシロウト二人が乗り込んではどんな迷惑を掛けるかもわからない。そんな遠慮もあったかも知れない。

防波堤に釣り人はほとんどなく、それを見た途端、わあっ、といって倉田は駆け出した。両膝に手をおいて海を覗《のぞ》き込むと、小さな魚が群れているのが見えた。生暖かい潮の香りがした。

「いるいる、父さん。いっぱいいるよ。ここで釣ろうよ！」

まどろっこしいほど迷いながら父は釣り竿をセットして、貸してもらった折りたたみの椅子を広げた。いよいよ楽しみにしていた釣りの始まりだ。

ぎらぎらと照りつける日差しがランニングシャツから出た肩や腕を焼いている。海からの照り返しに目を細めながら練りエサをつけたハリを放り投げると、倉田はぽっかりと浮かんだ丸ウキを眺めた。

隣に座った父も竿を出し、麦わら帽子でタバコをくゆらせ始める。

静かだった。

じっと見ていると海面のかすかな動きに合わせてウキはゆっくりと上下に動いている。

さっきみた小魚の群れはいなくなり、透明な水の中をときおり魚の背が横切る以外、動きはない。

だが、ウキはぴくりとも動かなかった。

「釣れないね、父さん」

三十分ほど粘ってから、場所を変える。水筒の水を喉《のど》に流し込み、首筋にしたたり落ちる汗を腕で拭《ぬぐ》った。

それでも、結果は同じだった。

「釣り宿のおじさんは釣れるっていってたのにね。なんでだろ」

「時間とか場所とかあるかも知れないね」

温厚な父は、釣れなくても一向に苛々《いらいら》することなく、倉田に付き合って堤防を移動する。何度かそんなことを繰り返しているうち、ついに二人は堤防の突端まで来た。

釣りをはじめて二時間近く経った頃だったと思う。さすがにここまで来ると、二人の間にもあきらめのムードが漂いはじめていたのだが、「ここでダメならどうすればいいか船宿のオヤジさんにきいてみよう」という父の言葉で、竿を出す。倉田が見つめていた丸ウキが、すっと海中に引き込まれたのはその直後のことだった。

「あっ」

慌てて竿を上げたがタイミングが遅かった。釣れると信じていたら、その一投で釣れたかも知れない。だが、頭のどこかで釣れるはずはないという考えがちらちらしていた。だから、合わせそこねた。魚は、一瞬だけ重い振動を倉田の手に伝えて消え、力任せに上げた反動でウキが真っ青な空へ抜けた。

「いるよ、父さん」

震える声で倉田はいい、「そうみたいだな」と父がいったとき、今度は父のウキが海中に吸い込まれた。竿がしなり、興奮して覗き込んだ倉田の視界で、黒と銀色の縞《しま》模様がきらりと反転する。

あがったのはクロダイだった。三十センチほどもあっただろうか。子供の目には随分大きく見えた。

「いるよ、太一」

今度は父がいい、倉田も興奮で震える手でエサをつけ海中に投げ込む。

倉田が生まれて初めて魚を釣り上げたのは、それから間もなくのことだった。

「釣れたーっ！　釣れたよ！　父さん！」

手に伝わってきたぶるぶるする感触とともに、そのうれしかったことはいまでも覚えている。その後二人で立て続けに何匹かのクロダイを釣った。きっと潮目が変わったんだろう、というようなことを父が説明して、わけもわからず頷《うなず》く自分がいる。最高に楽しかった。あまりの楽しさに笑いこけ、それを眺めて父も笑う。静かな港に、二人の笑いがさざ波のように伝わった。そのとき——。

「さてと。このヘンでやろうぜ」

ふいに背後で野太い声がして、倉田は我に返った。

二人組の男だった。歳は父と同じぐらいか、もっと上だったかも知れない。大きなクーラーボックスを肩から提げた男達は、ちゃんと釣り用の格好をして、銜《くわ》えタバコで父親と倉田を見下ろしている。

男のひとりが、無遠慮にそのクーラーボックスを倉田のすぐ横に置き、微妙な空気が流れた。それまでの楽しい思いが萎《しぼ》み、警戒心が頭をもたげる。堤防なんだからどこで釣ってもいいのだろうが、それにしても、すぐ横に来てそれまで倉田たちが釣っている場所に無遠慮に竿を出すというのは、理屈より先に、遊び場を占領されるような理不尽さを覚えた。

大きな男だった。左隣にいる華奢《きゃしゃ》な父と比べたらその差は歴然で、銜えタバコにサングラスをした横顔はよく陽に灼《や》けている。男が座って最初にしたことは、そのタバコを海に投げ入れることだった。それも、目の前ではなく、斜め左へ投げた。ちょうど父親のウキに向かって投げつけたように、倉田には見えた。

倉田はちらりと隣を見たが、父は黙っている。だがもう笑ってはいなかった。表情を硬くして、成り行きを窺《うかが》っているようにみえた。

「さあて、いい天気だし。今日は釣るぞ」

一番端に陣取った一人がいい、それからいきなり何かを海中に投げ入れた。撒《ま》き餌《え》だ。軽くではなく、まるで野球のピッチャーが投げ込むような鋭い腕の振りで、どぼん、という物音とともにエサが倉田のウキを攪乱《かくらん》する。

あ、という小さな声を上げ、倉田は隣の男を見た。男は素知らぬふりを決め込み、同じことをもう一度繰り返すと、鼻歌を歌い始めた。

場所を奪おうとしているのは、明らかだった。広い堤防に場所はいくらでもあるのに、きっと倉田たちが釣れているのを見て、やってきたに違いなかった。

こいつらは敵だ、と倉田は思った。相手は大人かも知れないが、そういうやり方がルール違反なのは子供同士だって同じだからわかる。

次に男達がやったことといえば、持ってきた荷物を自分たちの後ろに置くのではなく、わざと倉田と父親の後ろに置くことだった。仕掛けの入った大きなバッグが二つ、これ見よがしにドシッという音と共に父がかけている折りたたみ椅子のすぐ後ろに放り投げられる。

それをちらりと見た父親はあきらかに迷っているようだった。

そのワイシャツの袖《そで》を倉田が摑む。何かいってやってよ、と目で訴えた。

ぷしゅっという音がして、男の一人が缶ビールを開けた。喉を鳴らして飲み、今度はその缶を自分の前にではなく、倉田の前あたりに置く。派手なゲップが聞こえて倉田の怒りに油を注いだとき、自分のウキが動いた。それを見た男の一人が、おっ、というのが聞こえたが、アワせるのが少し遅くて逃げられた。

「ああっ」

倉田が、いったん竿を上げエサがまだあることを確認してもう一度投げ入れようとしたとき、倉田より早く、隣の男が竿を出した。

それまで倉田が釣っていた辺りに、男のウキが漂いはじめ、倉田は仕方なくその向こう側へと投げた。

「おい、そんなとこに入れるなよ」

男が迷惑そうにいったのはそのときだった。「潮の流れでからまっちまうじゃねえかよ」

「ちょっと、それは違うんじゃないですか」

黙っていた父が初めて口をきいた。

「なにが？」

男がひねくれた聞き方をする。「何が違うんだよ。文句あるんならいってみな」

「私たちが先にここで釣ってたんじゃないですか。それを後から来てなんですか、あなたたち」

「あなたたちだってよ」

二人は顔を見合わせてふん、と鼻で笑う。「知ったことかよ。ここはな、どこで釣ったっていいんだ。嫌ならお前らが他へ移りな」

父は黙って、男の顔を見つめた。

そして黙って立ち上がる。それを見て男が身構えたのがわかったが、「行こう」と倉田に声を掛けたところで争う気がないと見抜くと、小馬鹿にするような笑いが男達の間で湧き上がった。

倉田は父にいわれるまま、黙って釣り道具をもってその場から離れた。

あんなことをされて父は腹が立たないのだろうか。なんでもっと言い返さないんだろう。たまに倉田を叱るときみたいに、もっとガツンといってやればいいのに。

結局、最初に釣っていた場所に戻って、父はそこに折りたたみの椅子を置いた。

「ねえ、父さん。あいつらひどいよ」

「ああ、そうだな」

「ぼくたち、あいつらに負けたの？」

返事はない。

父は竿を出さず、胸ポケットからショートホープの箱を出して、中から一本抜く。百円ライターを擦ったときの父はいままで見たことのないほど青ざめていた。唇に挟んだホープを吸い込み、それを右手の指先で挟もうとした父の手がどうしようもないほど震えているのを見て、倉田は目をそらした。

それが怒りによるものなのか、恐怖によるものなのか、そのときの倉田には見分けがつかなかった。

一本を急速な勢いで灰にし、二本目を取り出そうとして空だと気づき、青ざめた表情のまま暗い視線を海へと投げた。

いまから考えてみると、理不尽なことをされても黙って引き下がってくるのは、生涯一企業で勤め上げた父の生き方と結びついているような気がしないでもない。父は物静かで、忍耐強い人だった。感情をむき出しにすることなど一度として見たことがないぐらいだった。

しかし、このとき父は、手に握りしめていたものを力任せに地面に叩きつけた。ショートホープの空き箱が足元で撥《は》ね、防波堤の端まで転がって止まる。さらにそれを父は靴の踵《かかと》で踏みつけ、ぺちゃんこにした。

倉田ははっと顔をあげ、父の怒りの激しさに動けなくなった。悲しくなり、どうしようもなく涙がこみ上げてくる。しゃくり上げはじめた倉田の視界の中で、父が投げつけたタバコの箱の輪郭が滲《にじ》み始めた。錆《さび》の浮いたコンクリートの上で踏みつけにされたのはホープの空き箱ではなく、自分たちのほうだ。

「よし。また釣ろう」

やがて、何事もなかったように父はいった。相当無理しているに違いなかったが、倉田のほうはすっかり意気消沈してしまっていた。

のろのろとエサをつけ、再び竿を出す。だが、ウキは海のひとところに定位し、二度と動こうとはしない。時折、堤防の突端をまんまと占領した男達の嬌声《きょうせい》が聞こえた。どれだけそうしていただろう。やがて、あきらめたように父がため息をついた。

「帰ろうか、太一」

竿を畳《たた》んで立ち上がるとき、父は足元でへしゃげているタバコの空き箱をそっと拾い上げると、それが大切なものであるかのようにズボンのポケットに入れた。

忘れ去るには貴重すぎ、思い出すには苦すぎる、そんな記憶だった。あれからもう四十年以上の時が過ぎ去り、ホームを滑り出した山手線のドアの窓には、あの当時の父よりも歳をくった自分の顔が映っている。結局、自分の人生の中で、父との楽しい記憶は数えるほどしかないのに、あんなごろつきみたいな連中に汚されたことが悔しい。

だが、自分も同じように親になって、あれと同じ場面に出くわしたとき果たしてどうするだろうかと考えてみると、やはり倉田もまた父と同じようにその場から離れるのではないかという気がした。

子供の前でケンカするわけにもいかないし、あんなふうに言い返してくる相手に何をいっても無駄なのだ。

とどのつまり倉田もまた父親譲りの温厚な人柄であり、さっきのように不遜《ふそん》な男を制するなどということは、倉田の性格からすると極々珍しいことだった。少しやりすぎたかも知れないが、それについては倉田の行動に同意する声があがったことで救われた気がする。さらに、渋谷駅で降りるとき、さっきの浴衣姿の娘さんが小さな会《え》釈《しゃく》をくれたことでわだかまりは完全に消え、いつもの通勤帰りの風景がようやく戻ってきた。

2

倉田の家は、横浜市の港北ニュータウンにある。自宅の最寄り駅は、横浜市営地下鉄の「センター南駅」だ。

渋谷から最寄り駅までは、田園都市線を乗り継いで約三十分かかる。山手線は混雑していたが私鉄に遅れの影響はなく、夏休みのせいかいつもより空《す》いている車内で、倉田は文庫本を読んで過ごした。

市営バスの列に並び、ちょうどターミナルに入ってきたバスの行き先を確認しようと目で追っていた倉田であったが、自分が並んでいる列の後方に視線を移したところで体を硬くした。

さっきの男がそこにいたからだった。

代々木駅で倉田が順番抜かしを阻止したあの男が、そこにいる。

まさかと思ったが、素通りさせた視線の端にとらえた姿は、さっきの男に間違いないように思えた。

同時に、男もまた倉田のことに気づいている――そんな確信のようなものが胸に湧き、ふいに倉田を息苦しくさせる。

それを証明するかのように、倉田の横顔には、いま列の後尾近くから向けられた男の視線が食い込んでいた。

また新たなバスがターミナルに入ってきて、倉田は気づかないふりを装《よそお》って男の様子を観察する。視界の端でとらえた男は、じっとこちらの様子を窺っていた。

まさか同じ町に住んでいたとは！

なんて偶然なんだろう、と思ったとき、全く別の考えが思い浮かんで倉田ははっとした。

尾けてきたんじゃないだろうか？

代々木からここまで、あの男は倉田の後を尾けてきたのかも知れない。

じっとりとした汗が体から吹き出し、尻ポケットから出したハンカチで額を拭ったとき、轟々《ごうごう》とエンジン音を響かせてやってきたバスが倉田の前に止まった。

やはり花火の帰り客らしい浴衣姿の若者が何人か乗り合わせ、バスはいつになく混雑していた。

車内で立ったまま、倉田の神経はバスの前部に集中している。

吊革につかまり、見慣れた光景を流しながらふと視点を変えると、窓ガラスには緊張した面持ちの自分の顔と、少し離れたところでやはり同じ方向を向いている男の姿が窓に映っていた。

どこまで行くつもりだろうか。オレを尾けているのか。いや、もしかすると本当にこの辺りに住んでいるのかも——。

疑心暗鬼になった倉田の胸にそのとき湧いてきたのは、いつものバス停で降りないほうがいいのではないかという考えだった。

同時に、男がどこまで乗っていくのかも気になった。倉田より早く降車するのなら、心配は杞憂《きゆう》だったことになる。

そんなことを考えているうちに、倉田がいつも利用しているバス停が近づいてきた。誰かが降車ボタンを押し、何人かが降りていった。男は——。

まだそこにいた。

じっと前を向いたまま窓ガラスに映った表情の中で、その目がなにを見ているのかわからない。

扉が閉まり、家路へと続く馴染《なじ》みの景色が後方へと流れていくのを倉田は複雑な思いで見送る。発車してすぐに次のバス停を告げるアナウンスが流れた。

男の動きはなく、また何人かの乗客が降りていった。

車内は次第に空いてきて、立っているのは倉田と男を入れても数人になった。次の停留所で、ちょうど前の席にいたＯＬが降り、入れ替わりに倉田はその座席に滑り込んだ。それで車両前方で吊革につかまっている男の姿がよく見えるようになった。

座席に座り、ぼんやりと車内を眺める気のない視線で、倉田は男を改めて観察した。

間違いなく代々木駅のあの男だ。髪を両側から垂らし、銀縁の眼鏡を掛けていた。

眼鏡は、両側がちょっと上につり上がったようになっている細めのレンズだ。ブルーのシャツにだぶっとした紺系のパンツ、それに黒っぽいスニーカーを合わせている。

年齢は三十代に間違いないだろうが、そのラフな格好をみれば堅い仕事でないことがわかる。もしかするとフリーターのようなことをしているのかも知れないと倉田は勝手に想像した。

バスはさらに倉田の自宅から遠ざかり、また次の停留所がアナウンスされた。

誰も降車ボタンを押さなかった。男もまた、まっすぐ顔を窓へと向けている。

やがて、フロントガラス越しにバス停が見えたギリギリのタイミングで、倉田は降車ボタンを押した。もちろん、降りるのは倉田一人のはずである。

ブレーキが踏まれ、バスが停留所に滑り込んでいく。席を立った倉田が、降車口の前に立ったとき、ふいに男がこちらに向かって車内を歩いてくるのが視界に入った。

思わず振り返ってしまった倉田が、しまった、と思ったとき、男の顔に不気味な笑みが広がるのが見えた。

どっと冷や汗が吹き出し、背筋を冷たいものが走った。

降車タラップをぎこちない動きで降りた倉田は足早に歩き出す。前は向いていたが、全神経は背中のほうへと集中していた。

そのとき、倉田の靴音にもう一つの靴音が重なった。

スニーカーのゴム底がたてるきゅっきゅっきゅっという音だ。あの男が、尾けてくる。

3

片側に閉めきった商店がちらほらあるだけの舗道《ほどう》を倉田は歩いていた。顔は前を向いていたが、全神経は背後に向けられている。

ときおり通り過ぎる車のヘッドライトにまぶしげに目を細めながら、ともすれば振り向いてしまいそうな恐怖と、倉田は戦っていた。

走って逃げるべきだろうか。

それとも、このまま歩き続けるべきか。

いや、もし男に危害を加える意志があるのなら、どちらにしても同じだろうと倉田は思った。

残念ながら、倉田はもう若くはない。あの男の足だったら、逃げたところですぐに追いつかれてしまうだろう。有利なのは、土地勘があることだけだ。この港北ニュータウンに、倉田はかれこれ二十年以上も住み続けている。

道の両側はマンションと一戸建てが混在する住宅地で、舗道からは見えないが左手の住宅地の奥に多目的公園がある。

尾けてくる男をなんとか巻きたいが、そのためには遮蔽物《しゃへいぶつ》がなにもないこの舗道を歩いていたのでは無理だった。

どうする?

そんな問いが倉田の頭の中でぐるぐる回り始めた。

もちろん、男と対峙するという方法もなくはない。

そして、振り返っていってやるのだ。

「いったい君はどういうつもりだね。人の後を尾けたりして」と。

だが、そんな剛胆《ごうたん》な考えも、男が浮かべた薄気味悪い微笑の記憶とともに萎んだ。悪意のある笑みだった。長年、仕事を通じて様々な人間を観察してきた倉田にはわかるのだ。男は、何かを企んでいて、ここまで倉田を尾けてきた。そうに違いない。

車の往来が途絶え、倉田は幾分足を早めた。

スニーカーが立てる音が多少背後に遠ざかり、代わりに額から大粒の汗がしたたり落ちてくる。

「そうだ、迎えに来てもらおう」

そう思いついてカバンから携帯を取りだし、自宅へかけた。誰も出ない。コールは何回目かで留守番電話に変わった。

舌打ちとともに携帯をカバンに戻したとき、それで良かったかも知れないという思いも胸にわいた。車のナンバープレートを覚えられたら、倉田の身元がわかってしまう。男がそこまでやらないという保証はどこにもないからだ。

電話を切ったとき、足音はまた一段と近くに聞こえた。その気配に首筋の辺りが粟《あわ》立《だ》つ。

とっくに店じまいした商店のショーウインドーに前屈《かが》みになって歩く自分が映っていた。緊張して、喉はからからだ。

「なにを怖れているんだ。悪いのは向こうじゃないか」

もう一人の自分は、あの、館山の防波堤で父のシャツの袖をぎゅっと握りしめた自分だ。

父の気持ちに思いを馳《は》せ、倉田は微妙に表情を歪《ゆが》めた。

そのとき、車道を走ってきた車のヘッドライトが一瞬、視界を白く染め上げたのを見計らい、倉田は一戸建てが並ぶ住宅街のほうへと足早に折れた。そして——駆ける。

全力疾走で五十メートルも走ると、息が切れ始めた。百メートルも走った頃には心臓が飛び出しそうになる。耳の後ろで鼓動を感じた。だが同時に、倉田の聴覚は、自分の荒い呼吸の合間に、スニーカーの足音が混じるのをしっかりと捉えていた。

振り返って見たとたん、倉田は悲鳴を上げそうになった。髪を振り乱して追いかけてくる男の姿を見てしまったからだった。まるで闇夜を追いかけてくる山姥《やまんば》か、般若《はんにゃ》のようだ。

必死の思いで多目的公園に逃げ込み、そこから先は土地勘を生かして道無き道を走った。木々が倉田の姿を遮蔽し、地面がアスファルトから土に変わったことで靴音も響かなくなる。鴨池公園の雑木林目指して走り、それを抜けて市道の上に架かった橋を渡った。

直進すれば自宅に続く道に出るが、もう限界だった。あえて市道に続く小径《こみち》を駆け下りて、道路脇のコンビニに駆け込む。

前にこれほどの距離を休まず走ったのはいつのことだったか思い出せなかった。喉が貼り付くように痛み、心臓は口から飛び出しそうになっている。

ぜいぜいいいながら飛び込んできた倉田の姿に目を丸くしている店員に、精一杯の愛想笑いを浮かべ、倉田が向かったのはミネラルウォーターの棚だ。一本買って店の外で飲み干し、ゆっくりと時間を潰した。男があきらめて引き返しただろうと思えるまで。

その間、何度か周囲に視線をめぐらせたが、ついに男の姿を目にすることはなかった。

やがて、倉田はよろよろとした足取りで歩き出した。

タクシーを拾って念のため遠回りをして帰ろうかと思ったが、やめた。まだ喉が痛み、膝は笑ってでもいるようにがくがくしたままだが、男を振りきってみればそんな事にお金を使うのはもったいないといういつもの経済感覚が蘇ってくる。健太《けんた》や七菜の学費もかかるし、ローンもある。倉田家の財政は決して楽ではないのだ。

そこから自宅まで徒歩で十五分ほどの距離だった。一戸建てのわが家の門扉《もんぴ》をくぐると、そこから玄関先まで植えられたダリアの大輪がいつものように倉田を迎え入れた。妻の珪子《けいこ》が趣味で育てている花たちだ。

家の灯りは消えたままで、家族はまだ帰宅していなかった。

自分で鍵を開けて玄関に入った倉田は、ようやく辿《たど》り着いた安心感と疲労で、その場にへたり込んだ。

助かった。

リビングのインターホンが鳴ったのは、倉田が深く安堵《あんど》のため息をついたときである。

玄関先に座り込んだまま、倉田はドアを見つめた。

再びインターホンが鳴り、倉田は心臓が絞り上げられるような緊張感に襲われた。磨りガラスの向こうに、人影が立っているのが見える。

玄関先にあの男がじっと立っている様が目に浮かび、全身に鳥肌が立った。同時に、倉田の視線がドアの一点で釘付けになる。

鍵がかかっていない――。

慌てて立ち上がった倉田が玄関の鍵に手を伸ばすのと、それが不意に開いたのはほぼ同時だった。そのとき――。

きゃっ、という声が耳に飛び込んできた。

いや、もしかしたら、倉田のほうも声を上げていたかも知れない。倉田はのけぞり、それでも思わず鉢合わせしそうになった娘の顔を見て、胸を撫《な》で下ろした。

「なんだ、七菜か！」

「どうしたの」

高校三年生の七菜は、再び玄関に座り込んだ父親を見て目を丸くした。

「ねえ、ちょっとパパが変だよ」と背後に声をかけると、妻の珪子が長女の肩越しに顔を出して、

「あらま」。

その背後からは、倉田のことなどどうでもいいといわんばかりの口調で、「おい、二人とも早く中に入れよ。蚊が入っちまうじゃないか」という長男の健太の声がする。健太は、今年私立大学の二年生で、いつもは花火なんてとバカにしているくせに、今日は彼女にでもフラれたか、珍しくボディガード代わりとかいって母妹の花火見物をエスコートしてきたのだった。

「へえ。なかなかやるじゃん」

代々木駅からの話をすると、七菜は感心したようにいった。

「それどこじゃない。尾行を巻くのに大変だったんだぞ」

冷たいビールが渇ききった喉に染み渡る。汗だくのシャツを脱ぎ捨て、手早くシャワーを浴びてようやくひと心地付いたところだった。

「なんか刑事に追われる犯人みたいじゃん」

「それをいうなら、犯人に追われる刑事だ。正義が悪に遠慮する世の中だからな」

倉田がまじめくさった顔でいい、それにしても恐ろしい世の中だなあ、とありきたりな感想を口にした。

「でもさ、オヤジ。本当に尾けられてたのかよ?」

すかさず疑義《ぎぎ》を挟んだのは健太だった。シャワーで濡れた髪をバスタオルでごしごしやりながら、冷蔵庫から自分にも缶ビールを出してくると喉を鳴らして飲んだ。あっという間に三百五十ミリリットルの缶が空になって、若いということはいいもんだという感想以前に、もったいないな、という思いが浮かぶ。

「ひょっとして何か落とし物してさ、それを届けようとしてたんじゃないのかよ。うっかりだからなあ」そう軽口をたたく。

「あるある」

七菜と妻が同時に笑い声を上げ、倉田は不機嫌になった。そんなことがあるはずはない。奴の目を見ればそれはわかる。

「もし、本当なら結構コワイけどな」

また健太がいった。

「本当だっていってるだろ」

むっとした倉田の言葉に家族は一瞬、押し黙ったが、「花火にくりゃよかったんだよ、パパも」という七菜の言葉で話題は、倉田からその日の花火へと変わった。

だが——。

何千発の花火がどうとか、どこのなんとかって店の混み具合が凄かったとか、そんな話に倉田はまったく関心が持てなかった。つい小一時間前にさらされた悪意の記憶は、あの男の薄気味悪い微笑とともに、倉田の脳裏にこびりついて離れようとはしない。

「もし、気になるんなら、警察に届けたら？」

上の空で家族の会話を聞き流していた倉田に、ようやく珪子が気を遣っていった。

「警察がまじめにとりあうもんか」

倉田はいった。「被害もなにもないのに。ただ、尾けられたってだけで」

「でもさ、尾けてどうするつもりだったのかな、そのひと」

七菜がきいた。

「頭にきたからなんか一言いってやろうとでも思ってたんじゃないか」と健太。

「だったらその場でいえばいいじゃん」

「気が弱いから、その場ではいえなかったんだよ、きっと。オタクっぽかったでしょ」

オタク、か。たしかにそういう表現がぴったりくる雰囲気ではあった。

「そういう奴ってのはさ、度胸は無いくせに陰湿な性格してるんだ。だから、オヤジの後を尾けて、文句をいう機会をうかがっていた可能性がある」

そんなはずはないと、倉田は思った。

もしそうなら、バスを降りたときに声を掛ければ済んだはずだ。

そしていまから考えると、危害を加えようとしたわけでもないような気がする。その気があるんなら、なんらかの行動を起こせたはずだからだ。背後から石を投げつけるとか。

だが、あの男はそうしなかった。

「顔を見られたからじゃない？」

七菜の意見は一理ある。

「だけど、顔を見られたぐらいで相手を特定することなんてできないだろ」

健太の意見もたしかに一理。健太はさらに、「もうひとつ考えられるな」といった。

「男はオヤジを尾行することを隠さなかったんでしょ。オヤジが気づいた後も堂々と尾行を続けたわけだ。そのときオヤジはびびったんじゃない？」

そうきかれて、倉田は押し黙った。

　オレはびびったのだろうか。もしびびったとしてもそれを認めたくはなかった。同じく、少年時代のあの夏、男達に嫌がらせをされた父もまた、びびっただろうか。

「小市民なんだから仕方がないよ」

　慰《なぐさ》めだか蔑《さげす》みだかわからないことを健太はいい、「それが目的だったのかもよ」といった。

「そんなことのために、わざわざこんなところまで来るのか」

「港北ニュータウンは〝こんなとこ〟じゃないよ。立派な町だ」

　理屈っぽい一面を垣間見せた健太は、「バス路線は違ったかも知れないけど、本当にこの近くに住んでるかも知れないしね」といった。

「相手を恐怖に陥れる、か。たしかに、それはそれで一つの復讐になるよね」

　七菜の言葉に、倉田は返す言葉が見つからない。だとすれば、自分は相手の術中に塡《はま》ったことになる。

「だけどさ、そんなことで収まったんならいいじゃん。世の中、いろんなのがいるからさ。もしかしたら刺し殺されてたかも知れないぜ、オヤジ」

「まあ、それはそうだな」

歯切れも悪く倉田は認めた。「そんなこと」で終わったのが幸運だったのかと思うと複雑な気分だが、やったはずがやり返された後味の悪さは、飲み過ぎた後のビールの苦みのように腹にたまった。

「ヘンなことされなくて良かったよ。気を付けたほうがいいよ、ほんとに」

妻もいい、誰もがそれで一件落着だと思った。翌朝、玄関先のダリアが何者かに抜き取られ、踏み荒らされているのを発見するまでは。

4

それは、翌朝の午前七時過ぎのことだった。いつものように出勤しようとドアを開けた倉田は、足元にダリアの花が転がっているのを見て、踏みだそうとした足を止めた。

なんでこんなところに？

最初に込み上げたのは、単純な疑問と違和感だった。そして、拾い上げようとして異変に気づいた。

花壇だ。門扉から玄関までの階段脇に、珪子が作っている花壇がある。昨夜までそこには、見事なダリアが咲き誇っていたはずだ。

だがいま、その美しく咲いていたはずの花々は無惨にむしり取られ、あるものは踏みつけにされている。

「なにこれ！」

思わず立ち止まって息を呑《の》んだ倉田の後ろで珪子も絶句し、手で口を押さえた。

青ざめた顔でその惨状の前に立ちつくした珪子は、そっとかがみ込むと辺り構わずばらまかれたダリアをひとつずつ拾い始めた。あまりのことに、倉田は花を集めている妻の行動を呆然《ぼうぜん》と眺め、やがてはっと気づくと、自分もかがみこんで手近な花に手を伸ばす。

「あなたは遅刻するからもう行って」

妻がいった。「——健太。健太！　ちょっと来てちょうだい。七菜、七菜！　お兄ちゃん起こしてきて」

やがて寝ぼけ眼で降りてきた健太だが、玄関先の惨状に気づいて、「どうしたんだよ、これ」と目を剝《む》いた。異常に気づいた七菜も飛び出してきて、啞然《あぜん》とした顔で立ち尽くす。

「パパを駅まで送ってってちょうだい」妻が健太にいった。

「でもさ、誰がこんなこと――」

「いいから、とにかくクルマ出して」

夫を定刻に送り出すのが主婦の本能であるかのように、妻はいう。その顔から表情は抜け落ち、蠟《ろう》のように白くなった横顔がショックの大きさを物語っていた。「お願いだから、早くして」

「あ、ああ。わかった。オヤジ、行こう」

「頼む」

歩き出そうとした倉田は、そのとき不意に動きをとめた珪子の視線の先を追い、体を硬くした。

足跡が残っていたのだ。

花を引き抜いた花壇の土の上だ。

くっきりとついた靴の大きさはまちがいなく男物のサイズで、倉田の靴よりも大きかった。

昨夜の男の顔が頭に浮かんだ。だが、そのことは敢《あ》えて黙っていた。いま妻に余計なことはいいたくない。

「じゃあ、行って来るよ」

珪子がなんとかうなずいたのを見届け、倉田は、健太が駐車スペースから出したプリウスの助手席に滑りこんだ。

「今までこんなことなかったよね」

ハンドルを握りながら、健太は真剣な顔でいった。その表情をちらりと見て、「まあな」と倉田も同意する。

港北ニュータウンがまだ人気絶頂だった頃、六十倍近いくじ引きに当選していまの一戸建てに越してきて二十年近くが経つが、こんなことは初めてだった。たしかに、道路ができて暴走族が騒音をまき散らしたことはあったし、それはいまでもたまに起きるのだが、倉田の家が直接被害を被《こうむ》ったことはない。

近所の住人のことはおおよそわかっているし、もしこういうことがあるのなら、今までだってあっただろう。健太のいいたいことはわかっていた。

「オヤジ、夕べ相手のこと巻いたっていってたけど、ほんとうは後、尾けられてきたんじゃないのかな」

それは倉田自身、さっきから考えていることだった。

「一応、気を付けてきたつもりだったけどな」

「一応だろ」

健太はいい、右手の指で鼻をこすった。「足跡ついてたよね。昨日の男、どんな靴履いてた？」

「スニーカーだったと思う。黒いやつだ」

「どこのスニーカーだか、覚えてる？」

倉田は虚を突かれたようになり、それから首を横に振った。スニーカーのブランドのことなど、思いも寄らなかったし、見てもわからなかっただろう。

「そいつの特徴って他にはないの？」

「代々木で乗ってきたな。だから、あの辺の会社に勤めているかも知れない」

「でも、フリーターっぽかったんでしょ。バイト先かも知れないよね。時間は二十時半頃だっけ」

テレビ業界でバイトを始めてから、時間をいうときの健太はいつも二十四時間制だ。先輩のコネでテレビ番組の制作プロダクションにもぐりこみ、構成ライターのような仕事をしているらしい。健太いわく、緻密な脳みそと鋭い言語感覚が認められたということだが、本当のところはわからない。

「乗った車両、覚えてる？　また今日も乗り合わせるかも知れないよ」

可能性はある。しかし、たとえ相手と乗り合わせたところで、なんといえばいいのだろう。夕べわが家の花壇を破壊しただろう、とでも問いつめるか。証拠もないのに。

「もし、乗り合わせたら、逆に、尾けてやったら」

健太は少し意地悪な顔になってそんなことをいった。

「たしかにあれがその男の仕業っていう証拠はないけど、その男がやったようにオヤジもそいつの自宅がどこでなんていう名前なのか、突きとめてやればいいんだよ。そういう奴は、絶対にとっちめてやらなきゃだめだ」

健太の語気の荒さに多少気後れしながら、倉田はなんといっていいかわからなかった。

腹は立つ。

腹は立つが、だからといって、復讐することが最善の方法だろうかとも思うのだった。昨日思い出した少年時代の夏の思い出が再び倉田の胸によみがえり、複雑な気分になる。

理不尽なことをされながら、結局、それに仕返ししてしまったらさらに倍の理不尽を被ることになりはしないか。それに対してまた仕返しして応ずるのが本当に正しいのか。

「武力行使で収まる紛争ってのはないんじゃないか」

倉田はいったが、健太は、「甘いよ」、と切り捨てた。

ちょうど地下鉄の高架がショッピングセンターの向こう側に見えてきたところだった。横浜市営地下鉄センター南駅という名前がついているが、この辺りでは地下ではなく、地上を、というか高架の上を電車が走っている。改札も地下ではなく、三階だ。

「ああいうことをするのは、かっとなって殺人を犯すような連中とはまた別な人種だと思うな」

健太の分析は具体的だ。

「じゃあ、どんな相手だと思うんだ」

「やっぱりオタク系でしょ。ゲーマーみたいな。そういう連中ってのは陰湿で身勝手なのが多いんだ」

「じゃあこれはゲームみたいなものか」

「仕返しゲームだね。誰が悪いかなんてのは関係ない。そういう連中には世間の常識は通用しないし、反省という言葉もない。頭に来たから相手に仕返しするってだけさ。自分の気が済むまでね」

あのとき——。バスから降りる倉田に、投げかけられた薄気味悪い笑いを思い出し、倉田はあらためて憤りを感じた。そして薄ら寒い恐怖も。

健太が運転するプリウスはゆっくりと坂道を下っていき、ちょうど地下鉄の出入り口がある高架下で止まった。

「で、奴は気が済んだと思うか」

シートベルトを外しながら、倉田はきいた。

「さあ、どうかな。そいつに聞いてみないことにはわからないいんじゃない？」

「そうか……。ママのこと、頼むぞ」

健太は軽く左手を挙げると、ゆっくりとウィンカーを出して走り去っていく。

ゲーム、か。

改札へのエスカレーターを上りながら、倉田は健太の言葉を思い出していた。

イヤな響きだ。

しかも、そのゲームを支配しているルールは一般常識ではなく、たんなる主観に過ぎない。あの男の腹の虫が治まることとならなんでもオーケイで、気にくわないことはすべてNG。そんなバカげたゲームがあってたまるか。

5

倉田の勤め先は電子部品の製造販売をしている中堅企業だった。そこでの倉田の役職は、総務部長である。

部長といっても、年商百億円の会社では名前ほどの重みはなく、大手企業ならせいぜい課長、あるいは係長ぐらいのものに違いない。この会社に来たのは去年、倉田が五十一歳のときで、それまで倉田は銀行に勤めていた。要するに、銀行員の多くがそうであるように、定年退職前に取引先のひとつに出向させられたというわけだ。

出向という言葉には暗い響きがあるが、倉田自身はそれほど悲観するわけではなかった。出世競争に敗れた——というより、そもそも出世競争に参加していたという自覚すらない身としては、むしろ当然の成り行きとして受け入れたのである。

倉田の父は温厚で大人しい男だった。倉田もまたその父の血を引いて、がむしゃらに働くというより、どちらかというとのんびり自分のペースで仕事をするタイプで、銀行員時代の成績は常に中くらい。覇気がないとか、がむしゃらさがないとか、ときとして何を考えてるかわからない、というのが倉田に対する人事部評だった。それは倉田の性格に起因するもので、なんとかしろといわれてもどうすることもできなかったというのが、本音である。

出向する二年前に副支店長という役職は得たものの、自分より若い支店長に仕えた。部下からは突き上げを食らい、剛腕で鳴る支店長からは始終ガミガミいわれて、さすがにこのときばかりは参った。

その支店長から、ダメ管理職のレッテルを貼られ、支店長になりそこねての出向だったが、むしろそれで良かったと倉田は思うのだった。あのまま銀行員を続けていたら、今頃どんな精神状態になっていたか知れたものではない。

考えてみれば、倉田のような性格の人間が生き馬の目を抜くような職場に入ってしまったこと自体間違いのような気もするが、たまたま面接にいったら出てきた面接官とウマがあってしまったのだから仕方がない。しかし、おかげでマイホームが持てて子供たちを学校へやり、贅沢ではないが人並みの生活ができたのだから、倉田流にいえば、「まあいいじゃないか」となる。

そして、ナカノ電子部品株式会社という、どこにでもありそうな中堅会社が倉田の出向先、つまりいまの職場になった。中野駅から徒歩十分ほどのところに五階建ての四角いクリーム色の自社ビルを構えており、業績はまずまず。もしも企業に偏差値があるなら、五十二、三といったところだろう。

汗を拭きながら本社屋に着いた倉田は、一階の倉庫脇にあるエレベーターで三階に上がった。

取引銀行の担当者以外ほとんど外部の顧客が来ることのないそのフロアには、〝上場企業品質！〟とあるが、それはどこかの研修でハッパをかけられた二代目社長が気まぐれで張り出したスローガンに過ぎない。倉田の見たところ、ナカノ電子部品はあらゆる面で典型的な中小企業であった。

社長の持川徹《もちかわとおる》は、創業二代目と意気込んでいる、クセのある男だった。そのせいで、この会社への出向が決まったとき、銀行本部内では持川の下で果たして倉田が勤まるか、懸念する声もあった。

銀行に限らず、大企業から取引先に出向する者は大勢いるが、出向先でうまくやれる者は実のところ少ない。大手企業の出身者には、たとえ自らの出向先でも中小企業を軽視しているところがあって、なにかあるたび、出てくるのは「前の会社では」という言葉だ。いわゆる、〝ではの守《かみ》〟である。

〝前の会社〟と違うのは会社が違うから当然なのだが、それがわからない連中のあまりの多さに、銀行では取引先をクビになって戻ってくる、「出戻り組」が後を絶たない。

実際、倉田が出向する前、ナカノ電子部品には何人かの銀行員が総務部長として出向していたらしいが、全員が一年ともたずに「返却」された経緯がある。

そんな中、今度はどんな奴だと色眼鏡で迎えられた倉田が今まで勤まっているのは、特に欲があるわけでも前職に対する未練があるわけでもなく、〝ナカノ〟の社員として馴染もうと努力したからではないかと倉田は思っていた。

総務部長としての実力がどうのといったことは関係ない。中小企業でうまくやるために、一番大切なのは人間関係なのだ。倉田の態度はすぐに受け入れられ、いまのところ社長とも良好な関係を保っている。

この日、午前八時過ぎに自席につき、いつものように給湯室でインスタント・コーヒーを作って運んでくると、それを飲みながら新聞を広げた。

会社の始業は八時四十分だ。営業部と一緒になっているフロアには、普段ならまだほとんど社員の姿はないのだが、その朝はすでに西沢摂子《にしざわせつこ》が先に出勤してきていた。

摂子は、三十代後半のシングルマザーで、七年近く前からこの会社に勤務しているベテランだ。すらっと背が高くて見かけは派手だが、それ以前に会計事務所で帳簿付けをしてきた経歴があるだけに、仕事は堅い。ナカノ電子部品の経理は摂子なくしては回らないといっても過言ではなかった。

「あの、部長、ちょっとよろしいですか」

しばらくすると、摂子が一抱えもある資料を持ってきた。そういえば昨夜、倉田は八時過ぎに退社したが、その時間になっても摂子はデスク一杯に帳簿を広げていた。「適当なところで切り上げてよ」という倉田にろくな返事も寄越さないほど、仕事に熱中していた。

「今月の在庫が合わないんです」

遠慮がちに摂子はそう報告した。在庫というのは、会社がストックしている商品のことである。

ナカノ電子部品では、在庫を確認するために、いままで年一回だった棚卸《たなおろ》しを、倉田の提案でこの七月から毎月やるようにした。本来は月末にやるのが正しいが、月末は事務が集中して忙しいので二十日に在庫合わせをしよう、ということになっている。

棚卸しというのは、会社にどんな商品がいくつあるか倉庫にいって数えることだ。中小企業でも決算の前になるとどこでも棚卸しをして在庫を確認するのが当たり前だが、それを毎月やることで、財務の精度を向上させようという狙いである。

「いくら？」

「二千万円なんですが」

倉田は目を丸くした。

「それはちょっと多いな」

摂子が抱えてきた資料をデスクにおいて覗き込むと、在庫の実数と帳簿上の数が一致していないものが黄色のマーカーで塗られていた。

「ドリルか」

帳簿に記載された明細を読んだ倉田は顔を上げてきくと、摂子がこっくりとうなずいた。

「相手はどこ？　ＰＣドリルさん？」

倉田は主要取引先の一社を挙げる。摂子は首を振った。

「相模ドリルさんからの仕入れ分でした」

それも、以前からの取引先の一社である。毎月数千万円単位の発注をかけている取引先だから、二千万円分のドリル発注は通常取引の範囲内だろう。

ドリルと一言でいってもいろんな種類があるが、ナカノ電子部品で扱っているのは、プリント基板に穴を開けるための極小径《ごくしょうけい》のドリルである。倉田も一度見たことがあるが、かなり細くて先端は顕微鏡でみないとよく見えない。ちなみにプリント基板とい

うのは、コンピュータや携帯電話の内側に入っている、細々とした部品が載っている
グリーンの板だ。実はそれはビルでいえば六階建てと同じような構造になっていて
……と説明すればキリがない複雑なシロモノである。

とにかく、重要なのは、そのドリル二千万円分が消えたということだ。

年商百億円の会社にとって、二千万円というお金は決して小さくはない。いや、どんな大企業であろうと二千万円は二千万円である。

「一階の倉庫は見てきた？」

「ええ。見つかりませんでした」

「配送センターのほうは？」

ナカノ電子部品の配送センターは、主要取引先などの関係で群馬の高崎市にある。

「昨夜電話したんですが、当直しかいなくて。今日もう一度再確認してもらうことになっています」

「相模ドリルは、誰が担当してるんだろう」

摂子が答えるまで、微妙な間合いが挟まった。

「真瀬《ませ》部長です」

「真瀬さん、か」

倉田は頭の後ろに両手を組んで椅子にもたれかかる。摂子の意味ありげな視線を受け止め、「それは私から聞いておいたほうが良さそうだな」と倉田はいった。

摂子がほっとした表情を見せたのは、営業部と総務部の関係が普段から良くないからだ。

とりあえず、「配送センターから連絡があったら報告してくれないか」と摂子にいい、倉田はやれやれと嘆息《たんそく》した。

6

「え、現物が無い？」

その日の午後、取引先経由で出社してきた真瀬のところへ行って事情を説明すると、相手は指先で頬のあたりを掻《か》きながら首を傾《かし》げた。

「一応、配送センターでも確認してもらったんですが、真瀬さんが仕入れたドリルは在庫に無いっていうんですよ。いくらドリルでも、二千万円といえば相当なユニット数になるはずですから、見落とすわけはありませんしね」

「おかしいな。といっても、急にそんなことといわれても困るんで、ちょっと時間くれますかね」

今年五十五歳になる真瀬はそういうと、忙しさを強調するため、ろくに倉田のほうを見もしないでデスクの上を片づけ始めた。近づくと、オーデコロンの匂いがする。クソ暑いのに黒っぽいダブルのスーツに派手なネクタイを合わせ、時計は何とかというブランドの高級品——といってもそれは香港出張の際買い求めたニセ物で一日毎《ごと》に一分進むという噂だ。部長といってもブランド品で固められるほどナカノ電子部品の給料がいいわけではない。

「金額が大きいので、できるだけ早く確認してもらえませんか。社長に報告しなければならないんで」

「はいはい」

めんどくさそうに真瀬はいい、「ああ、山ちゃん。ちょっといいかな」と部下の一人に声をかける。倉田に付き合っている暇はないといいたいのだ。

「あのね、真瀬さん。もう少し真面目にやってもらえませんかね」

角の立たないようにいったつもりだったが、真瀬のきっとなった顔が振り返った。

「真面目にやれってどういうことだよ。オレが不真面目だとでもいうのか」

「不真面目とまではいいませんけど、二千万円のドリルが見当たらないんですよ。もっと慌ててもいいと思うんですけど」

「無くなったわけじゃないだろ」

真瀬は気色ばんだ。「帳簿が間違ってるかも知れないし。そういうのは調べたのかよ」

「いえ、帳簿そのものが正しいかどうかはまだ……」

倉田は少ししどろもどろになってこたえた。こんなところを摂子に見られたら、軽蔑されるだろうと思いつつもどうしようもない。そもそも喧嘩腰でやりあうという性格ではないし、相手が間違っているとは思うがそれを認めさせるほどの強引さもない。この会社にきてまだ日が浅いということもある。要するに小心者である倉田は、自分ではあまり認めたくないが、少々気後れしていた。真瀬はそんな倉田の弱さを知っていて、畳みかけてくる。

「いい加減にして欲しいな」

営業部長の権威を示すかのように、真瀬は立ち上がって腰に手を当てた。そうすると、倉田を見下ろすようになる。見栄えのいい男というのは、こういうとき得だ。一方の倉田は、線の細そうな青白い顔に痩《こ》けた頬でみすぼらしい。端《はた》からみれば、貴族と百姓である。もっとも真瀬の親は会社経営の資産家だと聞いたことがあるし、倉田の祖先は正真正銘のどん百姓だから、そういう喩《たと》えは、世が世ならまんざら間違ってもいないかも知れない。

「こっちはタダでさえ忙しいんだから、文句があるんなら調べるべきことをきちんとやってからきてくれ。それとも、あんたがオレの代わりに営業してくれるっていうんなら別だけどな」

真瀬は、横柄な口を利いた。それに対して、倉田は反論できなかった。理不尽とは思っても、腹が立つといいたいことの十分の一もいえないのが倉田の性格なのだ。挙げ句、「そうですか。じゃあもう一度こちらでも調べますから」という一言で引き下がってくる。

「部長、もうちょっと押してもよかったんじゃないですか」

そのやりとりをフロアの端で見ていたらしい摂子は、控えめな表現で倉田のふがいなさを非難した。

「波風立てるのは苦手なんだよな」

「もう十分立ってます」

「そうだな、確かに」

昨夜の代々木駅であの男の順番抜かしを阻止した勇気はどこへ行ったのだ——そ

う思うのだが、どうもいつも思いとは裏腹な行動をとってしまう。

「西沢さん、その在庫資料、こっちへくれないか。私があたってみるよ」

摂子はため息混じりに天井を見上げ、資料を持ってきて倉田の未決裁箱に入れた。

ダメ上司と思っていることは、その顔に出ている。出向先でうまくやるのと、実力を発揮するのは別だ。

正直なところ、会社の中での総務部の地位が上がらないのは、そんな倉田の態度も影響しているに違いなかった。

しかし、未決裁箱に資料を入れた摂子は、「部長、ちょっとおかしいと思うんです」と声を潜めた。

てっきり自分のことだと思った倉田が、部下の批判にどう答えようかとどぎまぎしたとき、彼女は続けてこんなことをいった。

「今回の件もそうなんですけど、真瀬部長の回してくる伝票ってウラ有りなんですよ」

「ウラ？」

倉田も声を落としてきく。「どういうこと、それ」

「これ、偶然聞きつけたことなんで確かめてはいないんですけど、チバ電子さんって取引先あるじゃないですか。秋田に工場がある会社」

それなら頻繁《ひんぱん》に処理伝票が回ってくるから、名前はよく知っていた。

「その秋田へ出張に行くのに、真瀬さんに交通費出してますよね。でも、実はチバ電子さんからも出ているらしいんです」

「ほんとうかい、それは」

驚いた倉田に、摂子の説明は次のような内容だった。

先日、真瀬が回してきた伝票に不備があったが、本人が出張中のため、直接チバ電子の経理担当者に問い合わせをした。そのとき、真瀬が秋田工場へ仕入れに行く費用をチバ電子が負担し、飛行機代相当額を現金で渡しているという話が出たという。

「それが事実なら、真瀬部長は、交通費の二重取りをしているということですよね」

倉田は唸《うな》った。営業という仕事には、大なり小なりの〝役得〟がつきものだ。だが、チバ電子との取引は古くから存在していて、毎月会社が真瀬に支払っている交通費も一万や二万円という額ではない。

「真瀬部長は弁も立つから社長が誤魔化《ごまか》されてしまっているのかも知れませんけど、そういうのをはっきりさせるのも総務の仕事だと思います」

摂子のいう事はスジが通っている。

「一事が万事ってことがあるじゃないですか。交通費なんかまだかわいいほうで、探せばもっといろいろあると思うんです」

真瀬に対して、摂子はどこまでも懐疑《かいぎ》的だった。

7

倉田が再びドリルの一件を調べたのは、書類仕事が一段落した夕方だった。

最近ではコンピュータで探したい伝票の日付を検索できるので、伝票そのものを見つけだすのにそれほどの手間はかからない。十分もしないうちに、問題のドリルについての動きは解明できた。

それによると、相模ドリルへの代金は当月中に現金で支払われている。ドリルの納品はそれに先立つ先月中頃ということになっていて、伝票にはいずれも真瀬のハンコが捺《お》してあった。

さすがの倉田も腹がたった。

真瀬は帳簿が正しいかどうか確かめろなどといったのに、なんのことはない納品伝票も支払伝票も真瀬本人が書いているのだ。

自分で起票して伝票の内容はわかっていたはずなのに、帳簿が正しいか調べてから来いと啖呵《たんか》を切るのだから、真瀬という男のレベルが知れる。まあ、こういう輩《やから》はどこの会社にもいるものだろうが。

念のために売上伝票もチェックしてみた。

あるはずの在庫が無いということは、すでに売れてしまっている可能性があるからだ。売れたのに総務でそれを処理していないと、当然のことながら帳簿上の在庫が残る。そもそもドリルは売却するために仕入れたのであって、一ヶ月が経とうという今まだ残っているというのも妙な話だった。

だが、売上伝票はやはり存在しなかった。真瀬はまだそれを売っていない。仮に売っていれば、さすがにさっき話したときにそういっただろう。

「だとすれば、ドリルはどこへ行った？」

そこで倉田は行き詰まった。

そのうち再確認を依頼していた配送センターからも連絡があって、やはり在庫にないことがわかり、事態は混迷の度合いを増していく。

ところが、その状況は終業時間まぎわにかかってきた一本の電話で思いがけない解決を見ることになった。

「ああ、倉田さんですか。一階の平井ですけど、ちょっと来ていただいてよろしいでしょうか」

相手は、平井光雄という倉庫を管理している配送課長だ。

「急ぎかい」

「ええ、ちょっと在庫の件で」

「在庫？」

書類から顔を上げると、こちらを振り向いた摂子と目が合った。


「この前棚卸しですっかり洩《も》らしてしまったらしくて。申し訳ないですね」

それから五分後、倉田は一階倉庫の奥、壁際に積まれたドリルの山を腕組みをしながら見上げていた。

手前の箱についている在庫票には、相模ドリルの名前と真瀬のハンコがある。

「いやあ、部長、ホント、すみません」

平井は作業帽を両手で握りしめ、愛想笑いを浮かべた。

「しっかりしてくれよ。ドリルが二千万円分無くなったっていうんで騒いでたんだからさ。夕べなんか西沢さんが遅くまで残業したんだよ」

「そうだったんですか。代わりに謝っといてくださいよ、部長。なんなら、デートでも付き合いますから」

四十男の平井は、何年か前に女房に出て行かれてからのチョンガーで、笑うとタバコのヤニで黄色くなった歯が剝き出しになる。

「一応聞いてみるけど、あんまり期待しないほうがいいね。それより、このドリルの数、合ってるんだろうね」

「確認済みです」

差し出された在庫表を倉田は眺めた。数字と金額は帳簿とぴたりと一致する。ふと、自分の顔を窺っている平井に、「なんで昨日は見落としちゃったの」ときいた。

「なんでですかねえ」

曖昧《あいまい》な返事を平井は寄越す。「なんでといわれても、まあ人間ですんで、そういうこともあるかと」

「こんな山になっているのにかい」

「山が大きすぎて壁と同じに見えちまったんです。ドリルに化かされた気分ですよ」

平井ははぐらかした。食えない男である。

「ともかく、在庫の数字が合ってよかったじゃないですか。ほんと、すみませんでした」

「気をつけてくれよ」

どうも釈然としない思いを抱えたまま、倉田はそういうしかなかった。

だが——。

「あったよ、ドリル。一階で見落としてた」

自席にもどって告げた倉田に、摂子が意外な反応を示した。

「ほんとうですか。どこにあったんです?」

「一番奥の右手の壁に積んであったよ。あまり大きすぎて見落としたそうだ。平井さんにはしっかりしてくれといっておいたんだけどね」

「右手の奥、ですか」

腑に落ちないという顔で摂子はいった。

「そんなの無かったです。ドリルなんて」

倉田は目を丸くした。

「無かった?」

「昨日の夜、その辺りも見ましたけど、そんなドリル、ありませんでした」

「じゃあ、さっきのは……」

「私、行って見てきます」

そういうと摂子は毅然《きぜん》として席を立っていき、五分ほどすると思い詰めた表情になって戻ってきた。

「間違いありません。昨日、あんなドリルの山はありませんでした」

じっと摂子は倉田の顔を見た。信じてくれと訴えかけているような目だ。

「平井課長に話をきいた？」

「ええ」憤然として摂子はいった。

「なんだって？」

「私の頭がどうかしてたんだろうですって。頭がおかしいのは平井さんのほうですよ」

「昨日、西沢さんが倉庫を確認したのは何時ごろ？」

「八時半頃だったと思います」

ちょうど、代々木駅で倉田があの事件に巻き込まれていた時間だ。

「そのとき倉庫には誰かいた？」

「いえ、もう全員帰ってしまって誰も。二千万円分のドリルなら見ればわかるだろうと思って探しにいったんですが、見つかりませんでした。あんなふうに山積みになっていれば、いくらなんでもわかります」

たしかに、摂子が見逃がすとは思えない。

「もしそうなら、あのドリルは今日になって運び入れたことになる。どういうことだと思う？」

「それは――」

摂子は戸惑いながらこたえた。「在庫が問題になったからじゃないですか。倉田部長に指摘されて、真瀬さんが手配したのかも」

「じゃあ、それまでドリルはどこにあった？」

さすがに摂子は首を傾げ、「それはわかりませんけど」と口ごもったが、

「でも、平井課長は嘘をついてると思います」

とだけははっきりといった。

嘘か。

倉田は腕組みをして考えた。

いったい、何のために？

第二章　名無しさん

1

代々木駅で電車が止まるたび、乗降客を観察するクセがつきそうだった。

自宅のダリアが被害にあって数日が経つ。まさに夏真っ盛りで、日中は三十五度を超える猛暑だった。

人間の記憶というのは往々にして美化されるものだが、子供の頃、東京の夏はもっとすがすがしく気持ちのいいものだった気がする。同じ暑さでも、暑さの性質が違った。温暖化は確実に進行して、東京の夏はその分、暑さを増している。しかも、それはただの暑さではなく、化学反応でも起こしたような酷《ひど》い暑さだ。

変わったといえば、社会――ひいては人間の質もまた変わった気がする。

誰もが携帯端末を持ち歩き、世の中の隅々までネットが網羅《もうら》している。キーボードという奴がどうも今ひとつ好きになれない倉田のような旧タイプがいる一方で、四六時中バーチャルの世界にどっぷりと塡《はま》り込んでいる人間達が増殖している。

便利になった分、弊害も増えた。

面と向かっては自分の意思表示すらろくにできない連中が、匿名《とくめい》世界では大胆になり、巨大掲示板に様々な悪口を書き散らし、舌鋒《ぜっぽう》鋭く根も葉もない感情論を並べ立てる。

そこは、どこの誰だかわからない、名無しさんたちの世界だ。

無責任で、感情的な匿名の世界。

でもそれは、インターネットから次第にこの現実の世界にまではみ出してきてはいないか。

匿名を利用したいいたい放題、やりたい放題は、現実の世界だって有効なのだ。自分がどこの誰かさえ、わからなければ。

あの夜、倉田を尾けてきた男の行動は、健太がいったようにまさにゲーム感覚だったかも知れない。それは自分のことは絶対に相手にわからないという前提の上に成り立ったゲームだ。あの男にも職場の上司があり取引先との関係があり、家族や親戚があるとして、それらの人たちには、ごく平凡な――あるいは非凡なのかも知れないが――好人物として承認されている可能性は十分あると思う。そんな男が匿名の仮面をかぶった瞬間、本性をむき出しにし、或いは人が変わって気に入らない相手をつけ回し、相手にとって大切であろうものを蹂躙《じゅうりん》していく。

いや、それはインターネットが悪いというのではなく、人間が誰しも持っている悪意が、たまたま匿名性を前提としたバーチャル世界で開花してしまったと考えるべきかも知れない。むしろ、それまで行き場の無かった悪意、人間が本来持ちうる自然の衝動があの世界でガス抜きしているという考え方もあるだろう。

だけど、中には自分の想像を超えたバーチャル空間によって、悪意を芽生えさせる者だっているのではないか。それが助長され、抑えきれなくなり、現実世界にまでその衝動を持ち込もうとする人間も出てくるのではないか。

「パパ、なんか気味が悪いんだけど」

その夜、二階の部屋から降りてきた七菜がいったのは午後十一時過ぎのことだった。そろそろ寝る準備でもするかと思っていた矢先であった。

「気味が悪いって、どうした？　幽霊でもでたか」倉田は、他にすることもなく広げていた夕刊から顔を上げた。

半分冗談のつもりでいった倉田に、七菜はいつものように唇を尖らせて怒って見せるわけでもなく、不安そうな表情を見せる。世間では娘から嫌われている父親が多いようだが、七菜は倉田のことをそう嫌うわけでもなく、とりあえずは良好な親子関係を保っているといってよい。

「外に人がいて、じっとこっち見てるんだ」

そういうと、七菜はスマホの画面を倉田に見せた。

写っているのは、七菜の部屋から見下ろせる外の光景だ。車庫の屋根が、街灯の明かりをほんのりと反射している。その灯りの向こう、道路の反対側にある公園の前あたりに、小さくひとりの男が写っていた。

光量が少ないせいで、鮮明な写真ではない。表情は影に隠れてみえないが、もさっとした髪をした男であることは見て取れる。

倉田は思わず七菜の顔を見返し、それから妻の珪子と視線を交わした。

「この前のひとなの？」

問われ、倉田は返答に窮《きゅう》した。たしかに、背格好や雰囲気は似ているような気がするが、はっきりそうだとはいえない。

「ちょっと見てみるか」

玄関脇にある階段で二階へ上がった。右奥の洋室が七菜の部屋だ。自分たちの姿が見えないように部屋の灯りを消し、南向きの窓から外を窺う。

「ほら、向こうへ少し回り込む辺りの歩道に、人、立ってない？」

倉田と妻の背後に隠れるようにして七菜がいった。

鴨池公園のこんもりした影が見えている。倉田は目が夜闇に慣れるのを待った。写真の男が立っていたあたりには常夜灯があり、ぽつんとひとつ古びた看板が立っているのが見えている。倉田はなんの看板かわかっていた。「痴漢に注意」だ。

「誰もいないけど」

その妻の言葉で、「ほんと？」と七菜もこわごわ窓際に立つ。

「ほんとだ。でもさっきまでいたんだよ。三十分ぐらい前に換気しようと思って窓を開けたときに見かけて、あれ、と思ったんだ。それがさっきカーテン閉めようと思ってふと見たら、まだいてじっとこっちを見てた」

「健太は？」倉田はきいた。

「友達と飲み会だって。何時になるかは聞いてないけど」

「どうせ遅いよ。兄貴のことだから」

携帯電話にかけたが留守電になっていた。倉田は、窓の外に広がる住み慣れた住宅街の光景に再び視線を戻す。

「ちょっとその辺りを見てくる」

「もし、そいつがいたらどうするの。なんか武器を持ってたほうがいいんじゃない」

訴えるように七菜がいった。だが、当たり前の話だが武器など無い。それで、走りやすいようにきちんと運動靴を履き、懐中電灯と傘を持っていくことにした。襲われたら傘で応戦して、あとは逃げる作戦だ。

「なんか、パパのほうが不審者みたいだけど」

七菜の感想を聞き流して空調のきいた自宅から外へ出ると、たちまち熱帯夜の暑さが全身を覆ってくる。

どこか遠くのほうで行き交う車の音が微細な塵《ちり》のように降り積もっていた。たしかに、こんな日に傘というのもヘンだと思った瞬間、空が光ってかすかな雷鳴を運んでくる。なんとも不穏な夜だ。

子供の頃、『シンドバッドの冒険』とか、『トム・ソーヤーの冒険』とか、「冒険」と付く物語は嫌いではなかった。心躍らせ、海賊や悪党たちのねぐらへと忍び込み、その話を盗み聞くスリルに、ハラハラしながら本のページをめくったものだ。

しかし、この夜の行動を冒険と思うほどの余裕は、倉田に無かった。

頭の中は先日の男のことで一杯で、これがゲームだといった健太の言葉が、リアルな響きを伴って再び脳裏を駆けめぐり始めるのだった。それがある種の狩猟ゲームなら、自分たち家族がその狩りの対象になる。

家を出た倉田は、男がいたという場所まで歩き、背後を振り返った。七菜の部屋にはいま明かりが灯っており、そこに二つの人影が並んでこちらを見ている。

手振りできいた。七菜がもう少し先を指差す。

五メートルほど歩いて再び振り返ると、七菜が両手で丸を作った。

公園の土手を背にした何の変哲もない場所だ。数メートル下ると遊歩道がある。木々を通り抜けてくる風には一筋の涼を感じないではないが、真夏の夜にひとり涼むような場所でもない。

そのとき倉田は、雑草がはみ出した歩道にタバコの吸い殻が何本か転がっているのを見つけてかがみ込んだ。

まだ捨てられて間もない、タバコの吸い殻だ。銘柄は――

ショートホープ。

代々木駅のホームに放り出されたあの箱が脳裏に浮かんだ。吸い殻は目に付くものだけでも五本。ほんの少し前まで、誰かがここにいたのは間違いない。しかも、結構長い時間だったはずだ。

倉田はポケットからティッシュを出すと吸い殻を拾い集めて立ち上がり、背後の公園を見渡した。木々の上に星はなく、視線を左手に転ずると、市道ぞいに立てられた高圧電線の鉄塔が、巨大な魔人のように何本もある腕から魔法の糸を紡ぎだしている。

遠雷が聞こえた。西の空をうっすらと覆うスモッグが光ったそのとき、子供の頃見た怪獣映画を思い出した。孵化《ふか》する直前、怪獣の卵がぴかっと光るのだ。都会の夜空は、孵化を待つ巨大な卵だ。生暖かい中にひんやりとした冷気を一筋孕《はら》んだ風が頬を撫で、土の匂いが香る。周囲に人の気配は無い。

歩道を道なりに進み、チェーンをまたいで鴨池公園に入った。誰もいない広場に遊具のブランコが寂しそうに静止している。揺れていないブランコには、人を吸い寄せる磁力がある。たまにジョギングする人も見かける場所だが、夜も遅いせいかランナーの姿はない。

その広場の入り口にログハウスがあり、小径がそちらへ向かって延びていた。雑木林に囲まれたその道を上りかけたとき、倉田は足を止め耳を澄ませた。公園のどこかから、かすかに足音が聞こえてきたからだ。その音のほうへ忍び歩いていく。そのときふいに生暖かい風が首筋を撫でていくのがわかった。

立ち止まり、耳を澄ませる。

薄暗い雑木林のどこかで下生えが鳴ったのはそのときだった。ふと見ると、木々が重なる向こうを人影が過ぎていく。

五十メートルほど離れた場所だ。その辺りにはログハウスへ続く小径が延びているはずだ。

人影は木々の合間に隠れ、夜陰に紛《まぎ》れてしまう。

奴だ。

その後を追い、倉田も歩き出した。ちょうど近くの市道の信号が変わり、車道からの交通音が倉田の足音を消してくれる。

小さなログハウスが見えたところで倉田は立ち止まった。

もう人影はどこにもなく、木々の合間を漂い出てくるねっとりとした大気の動きが倉田の体を包み込む。

ただこの公園を横切っただけなら、こんなところに来るはずはない。

この付近のどこかに、さっきの男はいるはずだと考え、手にした傘の柄を握る指に力を込めた。

背後で、微《かす》かな音がしたのは、そのときだ。

身構えた倉田が向けた懐中電灯の光を、何かが過《よ》ぎっていく。

足元に気を付けながら、木々の合間を歩いて行くと、誰が捨てたか発泡スチロールの箱が見えた。木々の葉が屋根のように覆い繁った足元だ。

その中から、倉田を見つめる目が光った。

「猫、か」

しかも生まれて間もない子猫だ。野良だろう。何匹いたのだろうか。逃げられる体力のあるものは、小さな黒い影になって木々の合間へ消え、いま一匹だけが動くこともできず、そこにいた。

すぐ近くで、親猫らしい威嚇《いかく》の声があがり、倉田はそっと後ずさった。

男の姿を探し、どれくらいその辺りを歩き回っただろうか。

「ちょっと！」

突然、声をかけられたのは、ついに諦めた倉田が小径から公園脇の歩道へ歩み出たときだ。

「なにしてんの、そんなとこで」

「健太か！　おどかすなよ」

健太が乗った自転車の電池式ヘッドライトが黄色い光を明滅させ、倉田の脇へ来て止まった。腕時計を見れば、時間は午前零時を回っている。

「なんだはないじゃん。こっちこそびっくりしたよ、突然、飛び出してくるからさ。なにしてるの、こんなとこで」

七菜が見た不審者の話をすると、健太はちっと舌を鳴らして怒りを表現してみせる。

「そういう奴なんだよ」

「それはそうとお前、迎えに行くっていっただろう。飲酒運転じゃないか」

倉田がいうと、「自転車、駅に置きっぱにすんのいやだからさ」、そういって健太は続けた。

「でもこれでわかっただろ。一回仕返ししたからって、それで止めるような相手じゃないってこと。執拗《しつよう》に繰り返して悪事に酔うっていうか、偏執狂《へんしつきょう》っつうか、それだよ。現実と空想がごっちゃになっちまうようなタイプだね」

健太がガレージの奥に自転車を止めるのを見ながら、倉田は考えた。

「だとすると、かなり危険な相手じゃないか」

「危険だよ」

健太はこともなげに言い切った。「だけどさ、そういう奴ってのは、必ず自分で尻尾を出すんだよ。ある種、愉快犯みたいなところもあるから、捕まえるのは案外簡単かも知れない。それにしても、吸い殻なんてどうすんの？」

健太に揶揄《やゆ》され、倉田はむっとした。「とりあえず、手がかりとして取っておく」

「意味ないと思うよ」

健太に笑われつつ、倉田はもう一度考えた。

バスを降りるとき、倉田を見てにっと笑いかけたあの行為。さっきも、実は七菜が気づくようにわざとやったかも知れないのだ。そうやって、家族一人一人にしっかりと恐怖を植えつける。相手が怖がるのを見るのが楽しい――そんな歪んだ快楽を求める相手かも知れない。

「とにかくさ、油断は禁物だよ、オヤジ」

「お前が一番油断してるように見えるけどな」

「そんなことないさ」

健太はそういうと、冷蔵庫からミネラルウォーターを出してきてコップに注ぎ、立て続けに二杯飲み干した。酔っぱらいが偉そうな口をききやがって、と思ったがとりあえず黙っておいた。「今夜は要注意だな。この辺に隠れてるかも知れないしさ」健太がまたいった。

「ちょっと、脅かさないでよ」と七菜。

「脅かしてるわけじゃないさ。もしかしたら、今頃、またうちの前辺りをうろついてるかも知れないぜ」

七菜はぞっとしたように首を竦《すく》めた。

「とりあえず、戸締まりだけはしっかりやっとかなきゃね」

珪子はそそくさと立っていって、裏口や一階の窓の鍵を確認して回り始める。

リビングから見えている小さな庭が鋭く光り、さっきよりも大きな雷鳴がとどろいた。その意外な近さに倉田は目を大きくあけ、これで少しは涼しくなるかな、などと場違いなことを考えてみる。

「玄関灯はつけたままにしておいたほうがいいと思う？」

戻ってきた珪子がきいた。

「念のため、今夜はそうしておこうか」

倉田がそういうと同時に、激しい雨が降りはじめた。

家族四人がふと言葉を飲み込み、雨音に耳をすます。

「すごい雨だね」

最初にいったのは七菜だった。歩いていって、窓を開ける。ガラス一枚隔てていた雨音が、急に大きくなって倉田の耳にも飛び込んできた。それ自体意志を持つような一陣の風が吹き込み、エアコンの風と混ざる。波打つような雨音に、打ち上げ花火に似た、腹に響くような雷鳴が轟《とどろ》き、重なった。

「ブレーカー下ろしておいたほうがいいんじゃないかな」

たったいま、玄関灯をつけておこうかと話したばかりなのに、健太がそんなことをいった。以前、家の近くに雷が落ちて、電化製品が軒並《のきな》みやられたことがある。もう十年以上前のことだが、子供心にそのときのことが余程怖かったらしく、健太の雷嫌いは筋金入りだ。

「早く風呂いかないと感電するかもよ」

七菜がからかうと、このときばかりは反論もなく、健太はそそくさと風呂場へと消えた。

「お前ももう寝ろよ」

七菜はとっくに十二時を回っている時計を見て、「まだまだこれからだよ」といって自室へ引き揚げていく。この夏休みの間、午前中から予備校に通い、夜も遅くまで勉強しているようだが、いままで遊んできたツケか、遅れを挽回するまでには至っていない。

「でも、わが家もまだ運に見放されたってわけじゃなさそうだね」

珪子が意外なことをいった。

「運だって？」

「だってそうじゃない。こんな雷が鳴る豪雨の夜に出歩くわけにいかないでしょ。きっとその人だって、今頃命からがら逃げ帰ってるんじゃない」

「なるほど、それもそうだ」

倉田がいうと、

「神様はすべてお見通しなのよ」

珪子はクリスチャンらしい一言を告げた。倉田の家は代々仏教だが、珪子は祖父母の代からのカトリックで、週に一度は教会へ行き、地域のボランティア活動に参加する。

「もし神様がいるのなら、天罰を下して欲しいものだな」

「そういうことは、あなたが期待してはいけないんだよ」

珪子はそういうと、胸の前で軽い十字を切った。

その夜、雷はさらに勢いを増し、港北ニュータウンの空一面で稲妻が暴れ始めた。

雨が小降りになった後も放電を繰り返す空を、倉田は、寝付かれないままベッドに横になって寝室の窓からじっと眺めていた。

そして、この雨が本当に神の差配なのではないかと疑ってみる。或いはこの空が巨大な卵なら、放電で孵化した何かが世に放たれたのではないか。悪意のＤＮＡをたっぷりとそそぎ込まれた新たな生命体が。

何度も夢とも現《うつつ》ともわからぬ境を彷徨《さまよ》い、倉田は明け方近く、ようやく眠りに落ちた。


「ねえ、起きて。ねえ」

翌朝耳元で自分を呼ぶ声が次第にボリュームを上げ、倉田を夢の世界から現実へと引き戻していく。体を揺すっているのが妻の珪子だということはわかるが、疲れの抜けない体ではなかなか起きあがることができなかった。だが——。

「ちょっと来てくれない」

珪子の声にいつにない切迫したものを感じ取った倉田は、ようやく目を開け、自分を覗き込んでいる妻の顔を見上げた。

「どうした？」

倉田はきいたが、その表情を見ればなにかが起きたことは想像がついた。

「いいから、来て」

泣き出しそうな顔になって珪子は下へ降り、玄関のドアをあけて倉田を外へ連れだした。

夜半の雨で全ての塵が洗い流され、ワックスがけしたような青が上空を埋め尽くしている。

「ねえ、これ。どうしよう」

妻が指さしたのは、玄関先にある郵便受けだった。

見るとそのフタが開いて、郵便受けの下に新聞が落ちたままになっている。妻は倉田の背後に隠れるようにして両手で口元を覆い、それからは黙って倉田に行動を促した。

新聞を拾い上げた。

雨用のビニール袋に入れられたそれには、まだ昨夜の雨粒が付着している。地面は乾いているのにヘンだな、と思った。そして、開いたままの郵便受けを覗き込んだ途端、動きを止めた。

一匹の子猫がその中に横たわっていた。

そっと手を伸ばし、茶と黒の縞模様の体を手のひらに乗せる。

小さな体の柔らかい感触が伝わった。昨夜公園で見かけた野良猫だろうか。

「タオル、持ってきて——生きてる」

珪子が慌てて家に駆け込み、すぐにバスタオルが運ばれた。

そっと猫の体を包み込んだとき、妻の言葉を思い出した。

神様はすべてお見通しなのよ——。

たしかに、神様はそうかも知れない。だが——。

オレは神じゃない。倉田は、思った。ただのサラリーマンだ。小心者のサラリーマンだ。

2

五十歳を過ぎると、疲労の抜けきらない体での通勤ラッシュが堪《こた》えるようになった。猛暑は相変わらずで、中野駅に到着したときには、すでに一日を終えたような疲れを感じて倉田は嘆息した。さらに会社までの十分ほどの距離で、ペットボトルが一本空き、シャツが汗だくになる。

うんざりするような朝だが、せいぜいのグッドニュースは、ガスの回復ぐらいか。

ガスというのは、郵便受けに放り込まれていた子猫に、七菜がつけた名前だった。正式にはアスパラガスというんだそうで、ミュージカル『キャッツ』に登場する役者猫の名前をそのまま拝借したらしい。

昨日発見されたときまだ息があったガスは、すぐさま動物病院に運ばれ、奇跡的に一命を取り留めたのであった。尻尾は折れ曲がっていたが、内臓の損傷はないらしく、今朝は七菜が差し出した猫用ミルクを少し飲むまでに回復した。

ようやく会社に辿り着いた倉田は、未決裁箱に入っていた資料をデスクに広げ始める。いつもならここで新聞の朝刊を読むのが日課だが、この日は八時半から部長以上が出席する「業績会議」が予定されていた。各セクションの責任者がそれぞれに課された目標と進捗《しんちょく》状況を持ち寄って集まる、月に一度の重要な会議だ。

社長の持川はこの会議を特に重要視していて、生半可な業績しか上げられない部門長はクビにするぞといわんばかりの態度を繰り返し見せていた。幸か不幸か倉田は総務部という、目標が有って無いようなセクションなのでその点は気楽なのだが、厳しい会議だけに数字の過誤にことさら神経を使わなければならない。

そういうこともあって、すでに摂子が出社しており、倉田が出社したとき未決裁箱には「チェックお願いします」と付箋の貼られた最終資料が入っていた。出席役員は、社長以下八名。部門別に管理された業績の内容に誤りがないか、異常値が出ていないかの最終チェックは倉田の大切な仕事のひとつである。

細心の注意を払って数字を見ていった倉田は各部門の損益管理資料に目を通し、最後に営業部のそれを手に取った。

真瀬のいやったらしい顔が目に浮かんだが、憎たらしい口を利《き》くだけあって営業部は順調な成績を上げている。

これなら社長の余計なハッパをきかないで済みそうだな。そんなことを思いながら、その資料に添付されている売上予想一覧表という資料に目を通した。

ざっとそれを眺めた倉田の胸に、或る疑問が湧いたのはそのときだ。

「あのドリルはどこに売るつもりなんだろう」

倉庫にあったドリルのことである。摂子が在庫に無いと騒いだあれだ。資料には、販売品目と金額、販売先、販売日の予測が並んでいるが、その中にあのドリルらしきものは含まれていない。

在庫金額は二千万円だが、小口販売するといった理由で記載を省略している可能性もある。気にはなったが、いまは細かなことにこだわっている時間が無かった。その資料の検印欄に自分のハンコを押した倉田は、人数分のコピーを摂子に頼んだ。

その会議は、倉田による簡単な総括の後、各部門の部長から部門別の業績と今後の見通しを発表していく、いつもの段取りで進められた。

倉田の次に発表したのは真瀬であった。業績順調なだけに自信満々の真瀬は、弁舌も滑らかだ。計画比プラスは当たり前、どれだけ上積みできるかが勝負だとぶちあげ、社長を喜ばすツボを心得ている。

ナカノ電子部品で真瀬の立場が強いのは、持川の信頼を一身に受けているからであった。それには理由がある。優秀な営業マンでもあった先代社長である父親が急死し、畑違いの商社にいた持川が後を継いだとき、営業力の強化が急務だった。そんなとき、真瀬が入社し、亡き社長の穴を埋めたという事情があるからだった。

弁の立つ真瀬にとってこうした営業成績を発表する場は、いわば独擅場である。

ところが、発表が各論へと及び、今後の販売予定へと移った頃、ふと、倉田は疑問を抱いた。あのドリルの件について真瀬が一言も触れなかったからだ。

五百万円程度の商取引でも洩らさず発表しているのに、二千万円もかけて仕入れたドリルの販売予定に言及しないのはおかしいのではないか？　疑問は倉田の胸の中で大きくなっていき、ついに「あの、ちょっといいですか」と発言の切れ目を待って小さく挙手をした。

全員の視線が倉田に集まる。

いままで、会議の席で倉田が質問することはあまり無かった。ここにきて一年以上になるが、電子部品業界にはまだわからないことがたくさんあり、倉田は素人を自認している。倉田には意味がわからないままでも他の全員は共通理解のもとに議論をするということも少なくなかったから、議論に水を差さないよう、いままで質問は自粛《じしゅく》するようにしてきた。いま倉田が注目されたのはそういった経緯があるからだ。

「この売上予定表には、ある金額以上のものだけをまとめられてるんですよね」

なんだそんなことか、という顔を真瀬はした。

「当然ですよ。百万とか二百万とか、業績を左右するとは思えない商材までこんなところに含めたら収拾がつかなくなってしまうでしょう」

真瀬は、邪魔くさいとでもいいたげな眼差しを倉田に向けている。

「そうですか」

倉田は質問を続けた。「ちょっとそのことと関係があるかどうかはわからないんですが、ドリルは小口で販売されているんですか」

「ドリル？」

怪訝《けげん》な表情を真瀬は浮かべた。

「代理店契約の分ですか？　それなら、小口だったり大口だったり、まちまちだと思うが」

そういったのは社長の持川だ。「それが何かあるんですか、倉田さん」

他の役員は呼び捨てだが、倉田だけは、銀行からの出向者ということもあって「さん」付けだ。

「ええ、そうなんです。さっきの質問の続きですが、ドリルの販売明細と在庫残高を突き合わせると、二千万円ほどズレてるようなんです。真瀬部長は先月、相模ドリルから二千万円分のドリルを仕入れられましたね。もしかすると、その分かなと思いまして。あれはどこに販売されるんですか」

おや？　今度は倉田が怪訝に思う番だった。

ほんの一瞬だったが、真瀬に狼狽《ろうばい》が浮かんだからだ。持川や、他の役員が気がつく前に巧妙に隠され見えなくなったが、倉田にはわかった。倉田は三十年間、銀行員をやってきた。銀行員というのは数字を見ているようでいて、結局は人を見る商売なのだ。それを長く続けてきた倉田にとって、対峙する相手の感情の揺れひとつが、数字以上に重要な判断要因になることも少なくなかった。それは染みついた習性となって、異業種に転じたいまも健在である。

「おや、そういえば抜けてるな」

真瀬は、さもいま気づいたようにいった。「そうそう、あれは安く仕入れられたんで来月あたり新規開拓の商材として使うつもりだったんだ。すみません皆さん、このリストに追加してもらえますか。社長には報告済みです」

持川が小さく頷くのを、倉田はどうにも釈然としない表情で見た。

「新規開拓を考えているんでしたら、相手会社の資料をこちらに回していただけますか。一応、総務のチェックをすることになっていますから」

「ああ、はいはい。後で持っていきますから」

めんどくさそうに真瀬がいったとき、摂子の真瀬評が脳裏に蘇った。

――真瀬部長の回してくる伝票ってウラ有りなんですよ。

真瀬は、細かいことを指摘されたと思ったのか苛ついた顔になる。「それでいいですか、倉田さん」

「ええ、結構です」

今ひとつ釈然としないものの、その場での質疑応答はそれでおしまいになった。

午前中一杯かかった会議を終え、そのまま役員全員で会議室で仕出しの弁当を食べながら歓談する。それがナカノ電子部品創業以来の恒例だ。この日は、総務部の手配で鰻重を取っての食事となった。うまいと評判の店の鰻だが、どうもさっきのドリルの件が気になって、鰻の味を嚙みしめるところまではいかなかった。

「どうしたんですか、浮かない顔をして。会議でなにかまずいことでも？」

昼食後散会となって総務まで降りていった倉田の顔を見て、摂子がきいた。

「いや、どうも気になることがあってね」

と真瀬の一件について話して聞かせる。

仕事の手をとめ、遠くの壁をじっと見つめた摂子は、「たしかに歯切れの悪い説明ですね」といった。

「先日の在庫の件も納得行きませんし。平井さんも本当のことといってないと思うんです。きっと真瀬さんから口止めでもされてたんじゃないんですか。私、いって本当のこと聞いてきます」

立ち上がりかけた摂子を「ちょっと待った」と倉田は止めた。

「西沢さんからいえばカドが立つだろう。あとで私がいってこよう」

「部長が、ですか」

摂子はどこか疑わしげな表情を見せた。押しの弱い倉田にハードネゴができるのかと疑っている顔だ。

「ざっくばらんにきいてみるさ」

「それで白状するような相手ならいいですけどね」

摂子はいい、一枚の伝票を差し出した。

「ところで、私のほうからもひとつご相談があるんです」

真瀬が回してきた交通費の精算表だ。

「例のチバ電子さん関係の旅費です」

先月一ヶ月分の立て替え交通費の中に、ひときわ大きな金額が入っていた。羽田発秋田着の飛行機代金として七万円以上の請求がなされている。当のチバ電子からも交通費を受け取っているとの疑惑がある伝票だ。

「どうしますか、部長」

不正を知ってしまった以上、看過すれば管理責任を放棄したことになる。いいにくいからといって避けて通っていい問題ではなかった。

「真瀬さんにきちんと話そう。大袈裟《おおげさ》な話にするつもりはないが、わかってしまった以上どうするかは、真瀬さんの常識を信じるしかないだろうね」

摂子からきいたチバ電子の経理担当者に電話をした倉田は、その場で、真瀬への交通費支給の件を確認して席を立った。真瀬の不正は、間違いない。

営業部の真瀬は会議での上首尾《じょうしゅび》に機嫌をよくしたか、倉田が顔を見せたとき大きな声で取引先と思われる相手と冗談めかした電話をしていた。椅子にふんぞり返り、片足を組んで話している真瀬は、倉田がデスクに来たことに気づいても一向に電話を切り上げるそぶりは見せない。倉田など待たせておけといわんばかりに。

仕方なく、真瀬が回付してきた交通費精算表の当該欄に、「チバ電子さんの羽田秋田間の運賃はお支払いできません」と書いて、電話をしている真瀬のデスクに置く。倉田が背を向けた途端、「じゃあ社長、またお伺いしますので。すみません長話しまして」。

そそくさと受話器が置かれるのと、「倉田さん」と呼びとめられるのはほとんど同時だった。

「どういうことだよ、これは」

電話中に見せていた笑顔を消し、真瀬は探るような眼差しを倉田に向けた。

「ちょっといいですか」

倉田は指を天井に向け、真瀬を会議室に誘う。真瀬は黙ってついてきた。

いまはもう誰もいない会議室に入った倉田は、真瀬と向き合った。

「こういうことは正直申し上げにくいんですけど、真瀬さんが請求してきた秋田までの往復運賃、チバ電子さんからももらってますすよね」

真瀬は返事をしなかった。手の中にある伝票と倉田の顔を見て、どう言い逃れをしたものか考えているのだ。

「誰がそんなことを」

真瀬はいった。

「チバ電子さんの経理担当者に確認しました」

「経理担当者に?」

真瀬が浮かべた戸惑いの理由はなんとなく想像がつく。真瀬はチバ電子が営業促進の名目で交通費を支給していることをナカノ電子部品の社員には一切内緒にするように言い含めていたのではないか。

「竹川さんが、そんなことをいうはずはない」

そう断言した真瀬に、

「竹川さんは先月、退職されたそうですよ」

倉田が答えると、真瀬は口を噤《つぐ》んだ。「先月から横田さんという方に変わっています。ご存じなかったでしょう、真瀬さん。横田さんは、帳簿を調べてくれましたよ。少なくとも、ここ三年は同じように交通費を支給していたはずだと教えてくれました。それ以前のものについては調べないとわからないという話でしたが」

言い逃れはできないと悟ったか、真瀬は黙りこくった。

「一ヶ月に一度、羽田と秋田を往復したとして、交通費は約四万円。去年一年間であなたからの当該区間の請求は調べてみたら十五回ありました。金額は約六十万円になります。チバ電子との二重請求であなたが不正取得した金額です」

もっとも、立場の弱い取引先につけ込むのなら、チバ電子だけが二重請求の対象とは限らない。

「じゃあ、その六十万円を返せとでもいうのかよ」

「そういうことではないと思いますよ」

倉田はいった。「見つかったからといって盗んだお金を返せば無罪放免になりますか?」

「わかったふうなことをいわないでくれるか」

真瀬はいった。「あんたはこの会社が良くなってから銀行から来たから知らないだろう。だけどオレは業績の悪い頃からずっとやってきたんだ。その頃にはろくに交通費も出なかった。それをどれだけ個人で負担してきたと思ってるんだよ。これはその穴埋めみたいなもんだ。そんなことをいうのなら、その時の分、遡って払ってくれよ」

「だったら請求してくれたらいいんです」

倉田は熱くなった相手に精一杯、平静を装っていった。理路整然とした議論ならいいが、感情がぶつかるような屁理屈の言い争いは苦手だ。

「これ、社長に話すつもりか」

警戒して真瀬がきいた。

「報告せざるを得ませんよ。その前に真瀬さんに確認する必要があると思ってお話ししてるんです」

怒りに燃える眼差しを真瀬は向けてきた。

「社長がなんとおっしゃるかはわかりませんが、真瀬さんは役員なんだから、責任をどう取るかはご自分で考えるべきだと思います」

ぐっと奥歯を食い締めて考え込んだ真瀬は、

「勝手にしろ」

そう言い捨て、倉田を残して足早に会議室から消えていく。

「どうでした」

デスクに戻ると、待ちかまえていたかのように摂子がきいた。成り行きを話すと、

「良かったじゃないですか」とせいせいした顔でいう。

「いくら業績を上げているからって、不正まで許してたら社内が無茶苦茶になってしまいます」

「それに、知ってしまった以上はもみ消すわけにはいかないからな。我々の責任になる」

真瀬が、かつてのナカノ電子部品を自腹を切ってでも支えたことは事実かも知れない。だが、不正は不正だ。正当化することはできない。

「社長への報告書は私が書くよ」

社長の持川は烈火《れっか》の如く怒るだろうが、真瀬の身から出た錆だ。

報告書はその日のうちに簡単にまとめ上げ、社長の決裁が必要な書類とともに摂子が社長室まで運んでいった。

あとは持川と真瀬の話し合いになるはずだ。

案の定、しばらくすると真瀬が社長室のある四階へ階段を駆け上がっていく姿が見えた。

「呼ばれましたね」

同じように状況を観察していた摂子がいい、倉田は無言で頷いた。

興奮で頬を赤くそめたまま、真瀬が再び戻ってきたのは、それから三十分ほどしてからだ。

自席に向かう真瀬は、倉田の視線に気づくと、唇を歪めて横顔で笑って見せる。

何だ、いまの笑いは。書類をチェックする手を止めた倉田が不穏なものを感じたとき、デスクの電話が鳴った。持川からだ。

「倉田さん、ちょっといいですか」

3

「この報告書なんですけどね、証拠はあるんですか」

倉田をデスクの前に立たせた持川は、明らかに苛立っていた。

「証拠というか、チバ電子の経理担当者に確認したことです」

すると持川は意外なことをいった。

「いま、私からチバ電子の社長に事実確認したんだが、真瀬個人に支払ったという事実はないという話でした」

倉田は目を見開いて持川を見る。デスクに両肘をついていた持川は、うんざりした様子で椅子の背もたれに体を投げ出し、厄介《やっかい》なものでも眺める目で倉田を見た。

「しかし、担当者は――」

「運賃を計算していたのは、その分を仕入れから差し引くためだったそうですよ。真瀬もそういっていたし、何かの勘違いなんじゃないんですか」

「先方の社長さんがそうおっしゃったんですか」

信じられない思いで、倉田は尋ねた。

「そうです」

持川はきっぱりといった。「経理担当者には社長から直接確認してもらったんだが、まだ担当になったばかりで、勘違いしていたとのことです」

持っていたボールペンを音を立ててデスクに置き、持川は両肘をついて倉田を見た。

「真瀬にも、なにかいったんですってね」

「はあ」

「怒ってましたよ、彼は。忙しいのに、ロクに確認もしないで濡れ衣を着せられたって。この書類はお返ししますから、真瀬にはきちんと謝っておいてもらえませんか。

お互いに信頼関係を大切にしていきましょうよ、倉田さん」

そういって、倉田が作成した報告書を返して寄越す。まったく予想だにしなかった展開に、倉田は焦った。こんなはずじゃなかったと思う暇もなく、予想外の展開に流されていく。

「あ、それと――」

下がろうとした倉田を呼び止めた持川は、デスクからクリアファイルに挟まった書類を出して倉田に渡した。

「先日、野中《のなか》さんが持ってきた売りに出ている会社のリストらしいんですが、そっちで検討してもらえませんか」

野中は、ちょくちょく会社に出入りしている〝金融屋〟だった。持川との付き合いは古いらしく、最初は生命保険の法人担当として、その後、外資系金融のセールスマンに転じても付き合いは続き、いまは企業買収を仲介する会社を経営してちょくちょく買収案件を持ち込んでいる。

やり手には違いないが、倉田はどうも苦手なタイプであった。

見ると、リストは全て匿名で、業種と大雑把《おおざっぱ》な経営データ、売却希望金額などが並んでいた。とりあえず受け取っておいたが、検討しろといわれても大したことができるわけでもない。

「すみませんでした」と頭ひとつ下げ、社長室を辞去した倉田は、苦い思いを嚙みしめながら階段を下りた。

おそらく、倉田の報告書が上がる前に真瀬からチバ電子に連絡を入れて話をつけたのだろう。

三階のフロアに戻ると、「倉田さんよ」と営業部から声がかかった。見ると、まるで部下でも呼びつけるように、手をひらひらさせて真瀬が呼んでいた。

「社長から話はきいたよな」

真瀬は、椅子にふんぞり返って怒りの眼差しを倉田に向ける。「ああいういい加減な報告書を上げられちゃ困るんだよ。どうしてくれるんだ」

「いや、それは——」

自分でもおかしくなるぐらいに、倉田は動揺し、言葉に詰まった。総務部のシマから、摂子がじっと視線を注いでいることはわかっているが、どうすることもできない。

「謝れよな」

真瀬は言い放った。「土下座して謝ってくれよ。オレは相当、傷ついてるんだぜ。あんたのおかげでクビになるところだったんだからな。こいつは慰謝料《いしゃりょう》もんだ」

「すみませんでした」

　倉田は頭を下げた。

「土下座して謝れっていったんだよ。聞こえなかったか」

　営業部員だけではなく、他の社員たちもやりとりに気づいて、こちらに視線を向けているのがわかった。耳の後ろ辺りがかっと熱くなり、反論の言葉を探そうとするが、真瀬と対峙している緊張感の中では理屈のとっかかりさえ摑めない。

「部長、怒る相手が違うんじゃありませんか」

　そのとき、いつの間にやってきたのか、摂子がいった。

「なんだと？」

「そもそも、チバ電子さんの経理担当者がそういう話をしたんですよ。報告書にはそう書いてあるはずです。それに、部長だっておかしいじゃないんですか」

　摂子のトゲトゲしさに、真瀬の眼底でぎらりと怒りの刃《やいば》が光を放った。

「おかしいだと？」

「倉田部長は報告書を上げる前に、事実確認したはずです。違うならどうしてそのときにはっきりとおっしゃらなかったんですか。理由を教えて下さい」

「理由だと？」

椅子の中で歯ぎしりしながら、真瀬は摂子を睨み付ける。「ふん、くだらねえこといってやがる。そんな理屈っぽいから、旦那に逃げられるんだよっ。イテッ！」

摂子が投げつけたファイルが真瀬の胸に当たって弾ける。真瀬は、全身がバネになったかのように、椅子から飛び上がった。

「なにすんだっ」

「やり方が汚いですよ、真瀬部長。どうせ裏から手を回したんでしょ！」

「ちょっと待った。やめないか、西沢さん」

睨み合った二人の間に、倉田は割って入った。

「でも、許せないんですよ、こういう狡《ずる》い人って。デリカシーの欠片もない」

「独身女は更年期障害が早いらしいぜ。あんたもその口かよ」

「真瀬さん——！」

倉田がたしなめるのと、真瀬がハンガーから上着をとったのは同時だった。

「付き合いきれねえな、まったく」

そういうと、鞄ひとつもって真瀬は出ていった。出がけにホワイトボードに取引先の名前と、ミミズの這ったような英語のアルファベットを書きなぐっていった。

NR、つまりノーリターンだ。

「もう二度と戻ってこなくていい」

憤然と言い放つと、足音も激しく摂子は自分のデスクへと引き揚げていった。

4

とんだ一日だった。

午前中の会議が終わったと思ったら、真瀬とのあの騒ぎだ。結局、日中は仕事が手につかず一段落ついたときにはすでに午後九時近くになっていた。

疲労困憊《こんぱい》した上に、肩も凝った。首を回すと派手に骨が鳴って、倉田は顔をしかめる。そういえば去年、銀行の同期入行の知り合いが亡くなったことを思い出した。

その彼は倉田と違って出世コースに乗っていたが、取引先との接待の帰り、帰宅途中の横浜駅で倒れ、そのまま病院にかつぎ込まれたものの意識が戻ることなく息を引き取ったのであった。

心筋梗塞という話だが、要するに極度のストレスと過労が原因だ。その点、出向してしまえば気楽なもんだと構えていた倉田も、この状況からすると人ごとではなくなってきている。

「こんな日が何日続くか知らないが、寿命が縮むな」

そんなことを思いながらデスクの上を片づけた倉田は、帰ろうとしてデスクマットに張っておいた付箋《ふせん》に気づいてしまった。

在庫の件、平井に確認——。

思わず舌打ちしたくなる。交通費の件で頭が一杯になっていたが、肝心なことを忘れていた。

帰るついでにと思い、鞄をもって一階へ下りる。倉庫に明かりはついていたが、帰宅したらしく、平井の姿はもうそこになかった。ドリルは、先日見た同じ場所にまだ積まれたままだ。

本当にこのドリルは行き先があるのだろうか。いったい、真瀬は何を隠しているのだろう。

ふと倉田は、ドリルを入れたプラスチック・ケースに指を触れてみた。

最初、気づかなかったが、よく見るとひとつのケースに罅《ひび》が入っている。

ドリルの性能とは無関係だが、あまり見栄えのいいものではない。

それをわかるように目立つ場所に分けて置いた倉田は、ケースに触った手が妙に汚れていることに気づいて首を傾げた。

こんなに汚いものか？

もう一つ別のケースを手に取ってみる。汚れ方は似たり寄ったりだ。

じっと見ていると、「どうしたんすか」と背後から声がかかった。配送課の江口浩《ひろ》規《き》が、台車を転がしながらやってきて倉田を見ている。

「なあ江口君。このドリル、これで新品なのかな」

倉田からドリルを受け取った江口は、ケースの状態に怪訝な顔をし、さらにドリルを抜き取ると、それをゆっくりと回しながら天井の明かりに照らした。

「新品って感じじゃないですね。研磨品にしては保存状態もイマイチだし」

研磨品というのは、一度使用したドリルを研磨したいわば再生品のことである。

「営業部が二千万円で買ったものなんだけど」

「二千万円？」

その値段に江口は驚いた顔になり、ドリルの山の前に立って他のケースを調べはじめる。一通り見て唸った。

「私がこんなことというと真瀬部長あたりに怒られちゃうかも知れませんけど、そもそも、これって売り物なんですかね」

「どういうことだい」

「これ、廃棄ドリルだと思うんですけど」江口は少し遠慮がちにいう。

「廃棄？」

倉田は耳を疑った。「だから汚いのか」

「それに、型番も古いですよ」

「なんだって？」

江口は、ドリルが入っているケースに刻印された数字とアルファベットの型番を指さした。

「これ、タケトミってところが作っていたプリント基板用の穴開け機に使われた奴なんですけど、かなり旧式の機械で、今時こんなの使ってる会社なんてよっぽど遅れてるとしかいいようがないですね。まあ、中国辺りへ持っていって、安い労働力で付加価値の低い仕事をするっていうのならわからないでもないですが」

「新規先に売るらしいが」

会議での真瀬の発言を思い出して倉田はいった。そういえば、そのとき言っていた会社の信用照会を真瀬はまだ総務部に回してきていない。

「国内メーカーでこんな化石みたいなドリル使ってるところ、あるかなあ。ともかく、このドリルが二千万円もするはずはありませんよ」

以前工場勤務の経験のある江口は、そうシビアに見切った。

「じゃあ、このドリルの値段は――」

倉田は驚いて江口を見た。

「こんなの、価値はゼロですよ。財務上なら一本一円ってとこじゃないですか」

「一円？」

素っ頓狂な声を倉田は出したが、江口は当然だという顔でうなずいた。

「備忘価額《びぼうかがく》でしたっけ？　その程度のものですよ、こいつは。倉田部長、真瀬さんに担《かつ》がれたんじゃないんですか」

違う、担がれたのはオレだけじゃない、と倉田は思った。会社もだ。もし、江口の指摘が事実なら、真瀬はナカノ電子部品という会社を騙している。

第三章　善良なる小市民、悪意の一般人

1

「可愛いな、ミルク飲んでる」

段ボール箱にかがみ込んでいた七菜が小さな声を出した。

「どれどれ」

すかさず健太が覗き込む。

「だめよ、お兄ちゃん」

その肩を七菜が押し返した。「ガスがびっくりするじゃん。ほら、飲まなくなっちゃった」

「オレのせいじゃないだろ」

健太はむっとしてみせたが、本当に猫を驚かせてはよくないと思ったか、そそくさとソファのほうへ引き下がっていく。

「もっと元気になったら、懐《なつ》くかなあ」

子猫を見ながら、七菜がいった。

「野良だからどうかな」

と健太。「野性の血みたいなのがあるかもよ」

「かも知れないけど、私たちと同じように、この子も被害者なんだよね」

その言葉に、倉田は新聞の夕刊から顔を上げた。

「だってそうじゃん。うちの事件に巻き込まれたんだよ、ガスも」

たしかに、いわれてみればその通りだ。「あんたも犯人の顔を見たんだよね」

七菜が猫に話しかけている。「私も見た。パパも。まだ見てないのは、ママとお兄ちゃん」

「何なんだよ、いったい。見たかねえよ、そんなもん」

まだ夜の八時だというのに、めずらしく家族四人が揃っていた。

暦はもう、八月だ。ここ数日、誰ともなく早く帰ったほうがいい、という暗黙の了解のようなものができていた。花壇を荒らされ、瀕死の猫がポストに投げ込まれた。

このふたつの出来事は、倉田一家に微妙な影を落としている。

元来が家族揃っての動物好きばかりだ。

五年ほど前まで、倉田家ではパグ犬を飼っていた。

その犬が病気で死んでしまって、家族全員がいわばペットロスのような状態になった。その悲しみは時の経過とともに薄らいでいったが、あまりに動物好きで、その犬――ジョーという名前だった――のことが忘れられず、それから七菜も健太も、動物を飼おうとはいわなくなった。

「ちょっと気になるんだけど、犯人、どうやってウチまで来たと思う?」

ふと、健太が誰にともなくきいた。

「どうやってって、電車とバスでしょ、そりゃ」

猫のそばからたちあがりながら七菜がこたえる。倉田と珪子がかけているダイニングテーブルの椅子を引き、飲みかけだったコーヒーカップに指をかけた。

「それは最初、オヤジにどやしつけられて尾けてきたときだろうよ」

「どやしつけていない。ただ、注意しただけだ」

倉田は指摘した。気弱な倉田は、今までの人生で人をどやしつけたことなど、一度もない。

「はいはい、それは失礼。だけど、この前のとき――つまりガスをポストに放り込んだ夜は時間的に考えて、当然、終電に間に合うはずがない。ついでにいうと、ここから駅へ行くまでのバスもない。そのヘンで自転車でも盗んで帰ったっていうんなら話は別だけど」

「タクシーで帰ったとか」

「だとすると、結構な出費をしたんじゃないか、犯人は。どこまで行ったか知らないが、深夜料金だ。だとすると、奴もそれなりのコストを払って、うちにストーカー行為をしていることになる」

健太の発見に納得し、倉田も頷いた。

「なんか、すごい本気って感じ。そこまでやる？」

七菜が顔を歪めていった。

「いったい、どういう性格の人なのかしらね」

珪子はそういう人間がいるということ自体、信じられないという顔でいった。

「偏執狂だな」

健太はさらりといってのけた。「さらにいうと変態だ。そいつがわが家に狙いを定めたんだ。奴にとっては、ウチは嫌がらせゲームの標的なんだ」

倉田は嫌悪感に表情を歪めた。しかし、本音の部分で認めないわけにはいかない。髪を振り乱して追いかけてくる犯人の顔を見れば、奴が普通の人間じゃないことぐらいはわかる。そうだ。いってみれば奴は――倉田は適当な言葉を考えた――モンスターだ。雷の夜に卵が孵化してこの現実世界へと現れ出た怪物だ。

「今夜もくるかな」

ふと七菜がつぶやき、その場が静まり返る。全員が神経を張り巡らせるのがわかる。穏やかだが蒸し暑い晩だった。エアコンが静かに噴き出す風の音だけが、かすかに聞こえている。

ふいに倉田は立ち上がり、二階へと上がっていった。

健太と七菜がそれに続く。

「ちょっと入るぞ」

一言断って七菜の部屋のドアノブに手をかけた。明かりが入らないように首尾良く健太が廊下の明かりを消し、七菜とともに暗いままの部屋に入ってくる。

レースのカーテンをほんの少し開けて、倉田は、先日、犯人が立っていたと思われる辺りに視線を向けた。

ぽつんと、街灯が寂しげな明かりを落とし、蛾が狂ったように舞っている。

鴨池公園の深い緑は闇に溶け、カーブしていく住宅街の道路が熱帯夜の底に沈んでいた。

「いない」

七菜がひとことつぶやいた。

「まだ時間が早いしな」

健太は続けた。「お前、勉強するだろ。オレ、部屋から見張ってみるよ。それにこの部屋に明かりがついていたほうが、犯人も油断するかも知れないしな。オヤジ、カメラ借りてもいいかな。望遠レンズ付きで」

「カメラ？　どうするつもりだ、そんなもん」

倉田はきいた。カメラは倉田の唯一の趣味である。

「外を見張って、もし犯人が来たら、写真、撮ってやる」

「今夜、犯人が来なかったらどうするんだ」倉田はきいた。

「来ないかも知れない。だけど、来るかも知れないだろ」と健太。「見張れるときに見張るのは悪くない考えだと思うけどな。金がかかるわけじゃないしさ」

「まあ、それはそうだが」

大切なカメラをそういうことに使うのはあまり気が進まなかったが、仕方がない。

倉田は、寝室に置いてある防湿庫から自慢の一眼レフカメラとズームレンズを出し、それを健太の部屋へ運んで窓際に三脚をセットした。

「いまに見てろよ、オタク野郎め」

健太はデスクの椅子をもってきて陣取ると、レンズが目立たないようにうまくカーテンの隙間に入れ、液晶モニタを見ながらカメラの角度を調節しはじめる。

「いいよもう、オヤジは。後はオレにまかせてよ」

「そんなわけにいくか。オレも交替で見張る」

倉田はいい、参戦を表明した。

それから倉田と健太が交替で短い風呂に入り、パジャマの代わりにいつでも飛び出せる服に着替えると、再び健太の部屋に集合する。それで犯人の迎撃態勢が整ったというわけだった。

「やられてばかりじゃねえからな」

午後十時を少し回っていた。長い夜の始まりだ。

緩《ゆる》い時間が流れ始める。

閑静《かんせい》な住宅街とはいえ、人通りが全くないかというとそうでもなく、帰宅途中のサラリーマンや学生、それに時折車も通り過ぎていく。

健太は、見知らぬ人が通るたび、予行演習も兼ねてシャッターを切っていた。

窓際に立って見下ろしたり、健太のベッドに座ったりして、倉田も一緒に見張る。

もちろん、健太のいう通り、男がまた来るという保証はないが、倉田としても何もしないではいられない気分だった。

じっと窓の外へ視線を投げ続けていると、再び空の端が光りはじめた。

また、怪物のおでましだ。

だが、その夜来るかと思った雷は遠くの空をかすめただけでそのまま去っていった。

その代わり、午後十一時頃、このニュータウンのどこかで火災が発生したらしく、けたたましい音とともに消防車が走り回り、サイレンが夜空にこだまする一幕があった。

落ち着かない、騒々しい夜だ。時間だけが刻々と過ぎ去っていく。

「もう、今夜は来ないんじゃないか」

ようやく、健太に声をかけたのは、午前一時を過ぎた頃だ。

黙って外を見ている健太から返事はない。しばらくしてから、ため息とともに振り返り、静かに立ち上がった。

「何事もないのは、いいことじゃないか」

健太の部屋を出て寝室に向かう。横になると、倉田はあっという間に眠りに落ちた。

翌朝、倉田が目覚めたのは、いつものように午前六時であった。この時間に起きるのは、銀行時代からずっと変わらない。それはいまや、体に染みついた習慣のようになって、どれだけ疲れていようと、この時間になると目が覚めるのは不思議だった。

ベッドから起きたときの体の重さと、いつにない眠気だけが、徒労に終わった昨夜の見張りの代償として体に刻まれている。

一階に降り、いつものように経済新聞を取ってきた。いまは直接の関係はなくなってしまったが、為替《かわせ》や株式欄をじっくりと読み、産業面でナカノ電子部品に関係のありそうな記事がないかと気を配り、会社人事欄を見て知っている人の名前がないか探す。

倉田の朝食はいつも和食と決まっていて、この日はアジの開きにアサリの味噌汁という、倉田にとっては定番といっていいメニューであった。

ともかく、いつもと変わらぬ朝が到来したことに、このときの倉田はほっとしていた。

夏らしい日射しがキッチンとその続きになっているリビングに注ぎ込んでいる。夏休みということもあって、子供たちは誰も起きてはこない。

食事を終えた倉田は、いつもの白いシャツに袖を通した。夏だからノータイだ。もう銀行員ではないからもっと派手なシャツでもいいと思うが、どうもこの格好でないと落ち着かない。

起床してから家を出るまで、倉田は判で押したようないつものルーティンを繰り返し、そして、いつもと同じ時間に玄関を出た。

「クルマ、出してくるね」

そういって珪子が先に玄関を出て行くのもいつも通りだった。靴を履き、鞄を腕に抱えてドアを開けた倉田は、朝だというのにすでに強くなってきている日射しを仰ぎ見て顔をしかめる。今日も暑くなりそうだ。

妻に一足遅れて玄関前の階段を下りかけた倉田は、一旦、車庫内に消えた珪子が出てきたのを見て、「免許証?」、ときいた。

たまにそういうことがある。うっかり家に忘れることが。だが——。

「ねえ、ちょっと見て、これ」

珪子はいま眉根を寄せ、硬い表情で車庫内へ視線を向けた。

駆け寄った倉田は、珪子が指さした先を見て、「なんだこれ」、と声を上げた。

クルマの横っ腹に、釘か何かで付けたような線が一本、引かれていた。運転席側のボディだ。ご丁寧に、ウィンカーの後から前部と後部のドアを通り、リアまで達するキズだった。

あいつか。

真っ先に思い浮かんだのはそれだった。倉田家の車庫にはシャッターがない。いわば誰でも入れる状態で道路側に口をあけているタイプだ。

反対側は？

助手席側のボディを見てみる。こっちは大丈夫だった。リアも、無傷だ。だが、片方だけでも、ここまでのキズだと、タッチペンで修復するというわけにはいかないはずだ。再塗装になれば、相応の金がかかる。

「とりあえず、行きましょう」

怒りで立ち尽くした倉田に、そのとき妻が声をかけた。「あとは私がやっておくから」

「警察に通報しよう」

助手席に乗り込みながら倉田はいった。「今までの経緯を話すんだ。代々木駅の一件から、夜、オレが付け狙われたこと。花壇を踏み荒らされて、ネコが捨てられてたことも、みんな」

「わかってる」

苛立った珪子の反応に、倉田は自分が大声を出していたことに気づいた。「あとは、私にまかせて」

警察に被害届を出したという珪子のメールが来たのは、その日の昼頃のことであった。

「で、警察はなんて」

その夜、帰宅した倉田は真っ先に尋ねた。この日はクルマのキズのことがずっと頭から離れなかった。

「お巡りさんが来て、その代々木の男が犯人という証拠はあるかって」

「証拠？」

倉田はシャツを脱ぎかけていた手を止めて聞き返した。「吸い殻があるじゃないか。犯人はショートホープを吸ってる。それにだ、あの男以外の誰が、あんなことするっていうんだよ。いままで、ウチのクルマに悪戯《いたずら》されたことがあるか」

「そう話したんだけど」

温めなおしているカレーの鍋をかき回しながら、珪子はいう。「似たような悪戯があちこちで起きてるって。それと、タバコの吸い殻は一応、預かっておきますって」

珪子の言葉から、小馬鹿にした警察の対応を想像して倉田は腹を立てた。

「じゃあ、花壇を踏み荒らされたのも、猫が虐待《ぎゃくたい》されてポストに捨てられてたのも、別々の犯行だっていうのか」

「知らないよ、私がいってるんじゃないんだから」

普段は温厚な珪子も、さすがに苛々した口調になる。

「それも犯人の手かもよ」

ソファにだらしなくかけ、サッカー中継を見ていた健太がいった。

「なんのことだ」

「証拠が残らない、些細《ささい》な仕返しばかり繰り返してるだろ。警察がまともに取り上げないような小さな仕返しをさ」

「あのクルマのキズが、取るに足らないキズか」

思わず倉田は言い返した。「被害総額十五万だぞ」

それは、珪子が被害届に書いた額だった。事情を話してクルマのディーラーに問い合わせたらしいが、多少の誤差はあってもそんなもんだろう。十五万円の出費は痛いが、後に回すわけにもいかない理由もある。夏の旅行だ。今年は軽井沢に出かけることになっているが、キズがついたままのクルマでは行きたくない、という健太の意見に珪子も七菜も同調していた。キズを見る度に嫌なことを思い出すから、というのが健太の言い分である。それはそれで一理あると倉田も認めないわけにはいかなかった。

「犯人は頭のいい奴なんだよ」

健太はやけに冷静な口調だ。「オレたちよりずっとずる賢くて、物凄い悪意の塊みたいになってる。しかも、犯行現場を押さえられない限り、自分の犯罪だと証明されることはない。要するに犯人に圧倒的有利な状況ってわけだ」

「じゃあ、見張って捕まえるしかないってこと？」七菜がきいた。

「あるいは――」

健太は少し考えていった。「奴の素性《すじょう》を特定するかだ。身元が割れたら、奴もシラは切れないと思う。オヤジに目撃されてるし、お前の写真もあるからな。あの写真、保存しとけよ」

健太にいわれ、怯《おび》えたように頷いた七菜は、ちょうど手にしていたスマホを握りしめた。

「防犯カメラでも設置したらどう?」

珪子の提案に、倉田は唸った。

「いくらぐらいするんだ」

それは健太に向けた質問。こんなときにも、倉田が気にするのはまず値段だ。そんな自分が情けないと思いつつも、気にしないわけにいかないのがサラリーマン世帯である。

「本体プラス工事費なら、十万近くはかかるんじゃないかな」と健太。

「十万か」

「だけど、いままで必要なかった」

そういったのは七菜だ。「あんな犯人のために、そんな大金使うの、ちょっと悔しいな」

それは、家族全員の本音を突いた言葉に違いない。

「それもそうかもな」

健太がいった。「おもしろ半分で意趣返しする犯人のために、もう十五万円も被害を被ってる。この金は犯人が逮捕されたら弁償させることができても、防犯カメラはそうはいかないよ。こっちが進んでした設備投資なんだからさ。純粋な出費だ」

「でも、慰謝料請求すれば回収できるかも」七菜にしては、大人びた意見が飛び出した。

「お前、なかなか詳しいな」

驚いた健太に、「友達が去年の夏にクルマと接触事故起こしたんだよ。通院費以外に、慰謝料として結構な額もらったらしい」、という七菜の返事がある。

「なるほど。だけど、慰謝料は慰謝料なんだよ。防犯カメラを買うための金じゃない」

その通りだ、と倉田は強く思った。

これはやりくりの問題じゃない。

倉田家からすれば背伸びをした買い物になる防犯カメラを買うことは、逆に悪に屈したようなものだ。

「だけど、またクルマに悪戯するかも」

七菜がいい、「お前、どっちの意見なんだ」、と健太が突っ込みを入れた。

「防犯カメラを入れるのは悔しいけど、防犯カメラ無しでまた同じことをされるのはもっと悔しい」

「どうする？」

七菜の発言でしばし訪れた沈黙の後、珪子がきいた。

倉田は腕組みをして天井を睨み付けた。それからひとつ大きな息を吐いて決断する。

「買うか」

予想外の出費は痛いが、仕方がない。これも家族を守るためだ。


健太が秋葉原まで防犯カメラを買いにいったのは翌土曜日のことである。

凝り性の健太らしく、カメラは全部で四台。倉田も手伝って車庫の天井に一台、玄関脇の軒下に一台、一階リビングを出たあたりに一台とさらに裏手に一台取り付け、二階の自室にレコーダーを設置し、パソコンのモニタと切り替えられるようにセットした。健太の説明によると、画質にもよるが、二十一時間連続での記録が可能という優れものらしい。カメラは、最新型のカラーCCDを搭載し、〇・一ルクス程度の光があれば撮影出来、赤外線暗視機能までついているという。正直、それがどのくらいの性能かはわからないが、説明を聞いただけで、頼もしさを感じた。しかも嬉しいことに、出費は予定の五分の一で済んだ。このときばかりは、倉田も、「よくやった」、と息子を褒めずにはいられなかった。

倉田家は、「名無しさん」に対抗する有力な武器をひとつ手に入れたのだ。

2

「最近、業績が悪化してきたみたいですね、ここ」

青葉銀行中野支店でナカノ電子部品の融資を担当する村井浩一《こういち》は、コンピュータでアウトプットした信用調査票をカウンター越しに差し出した。

――相模ドリルの信用状況を調べられないだろうか。

週明けのこの日、銀行に用事があったついでに二階の融資課にあがった倉田は、偶然居合わせた村井にそう頼んだ。

発端はもちろん、倉庫に積まれているあのドリルだ。

商品価値のない廃棄ドリルであるのなら、それが単純なミスでそこにあると思うほど、倉田はお人好しではない。

この話には裏がある。

その裏を作っているのは真瀬であり、そのドリルを納入した相模ドリルであるはずだ。真瀬に直接問う以前に、まず相模ドリルという会社について、もう一度よく調べておこうと、倉田は考えたのであった。

相模ドリルは、厚木市内に本社をおく中小企業だった。年商五十億円、従業員四百名。中堅ドリルメーカーとしての業歴は三十年近くあるが、ここのところ業績は低迷しており前期決算は赤字。青葉銀行の厚木支店で取引はあるが、付き合い程度で与信方針も消極的らしい。

「必要でしたら厚木支店に電話して、もっと詳しく調べてみますが」

そう申し出た村井に、「これで十分だ。ありがとう」と礼をいって、副支店長や支店長に見つからないうちに倉田は銀行を出た。

中野支店の副支店長や支店長はちょうど倉田の同年輩なのだが、いまでも銀行の胸章をつけている彼らにしてみれば、倉田は出世コースから外れた落伍者《らくごしゃ》である。丁寧な中にも優越感を端々に滲ませる〝居残り組〟と接するのは、マイペースを自認する倉田も気が進まない。

そそくさと銀行を後にした倉田は、生真面目な性格そのままに真っ直ぐに会社へ戻った。

「西沢さん、ちょっといいかな」

先週、真瀬とやりあってからというもの、どこか不機嫌な摂子に声をかけると、倉田は脇にある打ち合わせブースに彼女を誘う。

「真瀬部長に謝罪しろということでしたら、お断りします」

ドアを閉めるや否や、彼女は勘違いしていった。その目に毅然たるものを読みとった倉田は、摂子が「辞める」と言い出すのではないかとドキリとした。いま彼女に辞められたら総務部の仕事は回らない。いや、いまに限らず、彼女は必要な人材だ。人材豊富な大企業と違い、中小企業では実力のある部下を一度失ってしまったら、再びそれに匹敵する人材を確保するのは難しい。

「あのことは、気にしないでいい。私はどうも気が弱いのであいうときにはてんでだめなんだが、西沢さんの指摘は正しいと思う。うまくフォローできなくて申し訳なかった」

倉田はそういって摂子に頭を下げた。

こういうとき、へんなプライドのない倉田は性格で得をしていた。たいていの場合、快く受け入れられるからだ。このときの摂子のように。

「そんな。私のほうこそ、部長に迷惑をかけてしまって申し訳ありませんでした」

ぎこちない雰囲気が氷解したところで倉庫係の江口と交わしたやりとりを話した倉田は、「どう思う？」と摂子にきいた。

「本当に廃棄のドリルだと江口さんはいったんですか？」

「ああ、備忘価額程度の値打ちしかないそうだ」

「整理してみましょう」

頭の回転が速い摂子はいった。「まず、ウチが相模ドリルに二千万円を支払ったことは事実です」

倉田はうなずいた。

「その二千万円はドリルの代金でした。そのことは、先日の会議での真瀬部長の発言からも明らかです。ところが、いま倉庫には新品ではなく、古いドリルが残っている。そのドリルは、相模ドリルから送られてきたものです。ここまでは間違いありませんね」

摂子は言葉を切ってまた少し考えを巡らせ、「一方、判然としないこともあります」といった。

「まず、真瀬部長が、あのドリルが古いことを承知しているのかどうか。どう思われます？　もし真瀬部長が知らなければ、相模ドリルの発送ミスということになりますが」

「真瀬さんは入荷したドリルを確認したはずだ。知らないということがあるだろうか」

「であれば——」

摂子は断言した。「真瀬部長もこの一件に関与していることになります」

頷いた倉田は、「それを証明するために、まず何をしたらいいと思う？」と尋ねた。

「まず、不明瞭な部分を解消していくのが先じゃないでしょうか」

摂子はいい、「でも、チバ電子の二の舞にならないように、やり方を考えたほうがいいかも知れません」とつけ加える。

「やり方とは？」

「真瀬部長にこちらの動きをつかませないようにするんです。発送ミスかどうかを確認するにしても、倉田部長や私が電話をするんじゃなく、別の人から問い合わせさせたほうがいいと思います」

「なるほど」

倉田は、優秀な部下に目を細めた。

「誰から聞いてもらいますか？」

「江口君に頼もう」

そういうと、摂子はもう一つ、機転を利かせた。

「江口さんに依頼するのであれば、忘れちゃいけない重要なことがあります。平井課長に問い合わせた事実を知られないようにすることです。これは私の想像ですけど、平井さんは真瀬さんと結びついています」

倉田は舌を巻いた。

「君はすごいよ。銀行員時代にもこんな部下はいなかった」

「それはそうでしょう。シングルマザーで茶髪の女性を、銀行が採用するとは思えません」

摂子は平然とこたえた。

「要するに、これが相模ドリルのミスかどうか、まずはそれを調べろということですね」

江口は、すぐに倉田の意図を飲み込んだ。真瀬が仕入れたという工作機械用ドリル二千万円——。だが、そのドリルがほとんど価値のない中古品だということは他ならぬ江口の指摘で判明している。いったい、どんな理由で廃棄ドリルといっていいものが倉庫に並ぶことになったのか、それが問題である。

ミスか故意か。

要するに結論はこの二つのどちらかしかない。

「真瀬部長には知られたくないんだ」

肝心なことを念押しした倉田の顔に、江口が意味ありげな視線を向ける。

「はっきりしたことは今いえないから理由は聞かないでくれよ、江口君。ただ、これは大事なことだ」

「わかってます。相模ドリルの配送係に知っている人がいますから、それとなく聞いてみましょう。間違って廃棄ドリルを送ってきていないかって。それでいいですよね」

倉田はうなずいた。

「頼むよ。それと平井さんにも知られないように気をつけてくれないか」

「真瀬さんと平井課長、仲、いいですから」

「その通りだ」

一階の、倉庫の片隅である。その脇を小型のフォークリフトが通り過ぎていく。仲がいいというレベルではなく、実際には〝結託〟に近い。しかし、それ以上余計なことはいわず、「頼んだよ」と一言いい置くに止めた。

江口からの返事は、午後、あった。

三階に顔を出した江口は、同じフロアの営業部に真瀬の姿がないことを確認すると、倉田のところまできてひょいと頭を下げた。

倉田のデスクの前には、丸い椅子が置いてある。いつもそこには会社に訪ねてくる銀行の担当者がかけるのだが、構わずそれにかけた江口は低い声でいった。

「朝の件、先方のミスじゃないみたいですよ。配送担当曰く、社長からの指示で、わざわざ倉庫から廃棄用ドリルを出してきて手配したそうです。当日の配送予定を変更して、至急、ウチへ送れという話だったらしいですね」

「なんで廃棄ドリルを送るのか疑問に思わなかったのかな、その担当者は」

倉田は当然の疑問を口にした。

「ウチが産業廃棄物処理の新事業でも始めたのかと思ったそうです。配送係はそれがいくらで売れたのかなんて知りませんからね」

その廃棄ドリルに二千万円の値段がついたと知ったら、その担当者は目を丸くするだろう。

「相模ドリルでは、社長が直々《じきじき》にウチを担当しているそうです」

その意味を察した倉田は、作業用の制服をきている江口と無言の言葉を交わした。

相模ドリルの社長がわざと廃棄ドリルを送りつけてくるはずはなかった。そんなことをしたら下手をすれば、出入禁止だ。だが、そうはならなかった。そこには人に言えない理由があるのではないか。

「どうするんですか、倉田部長。ちょっとヤバイ話のような気がしますけど」

「ちょっとどころじゃない」

倉田はこたえた。「とりあえず、どうしたらいいか、後はこっちで考えるよ。いずれにせよ、真瀬さんに真意を問いただすことになるだろうね。それまで他言無用で頼むぞ」

周囲を憚《はばか》るように口の前で指を立てた倉田に、「さすがにここまでの〝事件〟となると、おいそれと人には話せませんよ」と江口は肩をすくめ、帰っていった。

事件、か。

倉田はその言葉を頭の中で反芻《はんすう》してみる。

たしかに、こいつは事件だ。

「どう思う?」

それまで背後のデスクで仕事をしていた摂子にきいた。江口がいる間、摂子はずっと書類に目を通していたが、聞き耳を立てていたのはその手が止まっていることでわかった。

「廃棄ドリルが真瀬部長の指図だとすると、そもそもなんでそんなことをしたのか、ということが問題ですよね」

「これは私の仮説だが、新品のドリルを買ったことにして、真瀬さんが金を貸したんじゃないか」

倉田は一段と小声になった。がやがやとしたフロアで、その声は摂子のところに届かないほど小さかったが、摂子はうなずいた。

「あんまり、業績のいい会社じゃないですからね」

相模ドリルから新品のドリルを仕入れたことにして仕入れ伝票を書けば、金は振り込まれる。架空取引だ。本当はドリルを動かすつもりはなかったかも知れない。ところが、七月から始まった在庫チェックで不足が露見し、見通しが狂った――とは考えられないか。

それを指摘された真瀬は、相手がシロウトの倉田ならわかりはしないだろうと、偽のドリルで誤魔化そうとしたのかも知れない。もちろん、社長に許可を取った新規開拓は口実だ。相模ドリルに資金繰《ぐ》りがついたところでドリルを買い戻せば問題はない。

「一時的に資金を融通したということですね。そんなところかも知れません」

摂子はまた一歩踏み込む。「ただ、あの真瀬さんが何の見返りもなく、そんなことをするとは思えませんが」

「つまり、君がいいたいのは、金を融通してやった見返りに、幾ばくかの報酬を得たんじゃないかってことだな」

「なにしろ、交通費だって誤魔化してる人ですからね」

一事が万事。そういいたそうに摂子はつぶやいた。それについて、倉田も否定するつもりは無い。癒着《ゆちゃく》に見返りはつきものだ。そして真瀬という男は、単なる同情だけで、こんなことまでする親切な人間ではない。

相模ドリルに二千万円もの代金を支払ったのが七月二十日。しかし、その資金がその後どう使われたのか、今となっては調べる術はない。

「真瀬さんを問い詰めたら口を割ると思うかい」

「無理ですね。きっと相模ドリルの誤配だと言い張るでしょう」

そう主張すれば、これは犯罪ではなく、単なるミスとして片づけられる。摂子はふと口を噤んで何事か考えた。

「こういうのはどうでしょう」

自席を立ってきた摂子は、さっき江口が掛けていた椅子にかけた。「あのドリルが廃棄ドリルだってことは真瀬部長にも否定しようがありません。事実なんですから。だったら、それを指摘して本物の新品ドリルを運ばせるというのは」

倉田は摂子のいわんとすることを理解しかねてきいた。

「真瀬さんは絶対に、架空取引は認めません。そんなことしたら、刑事告発されて逮捕されるかも知れませんし。あくまで誤配を主張すると思うんですよ。ならば、誤配ということにして、きちんと新品のドリルを入れてもらうように申し入れたらいいんじゃないですか」

「新品のドリルを?」

摂子は続けた。「つまり、真瀬さんを糾弾《きゅうだん》するのではなく、相手の間違いを指摘する形で、このカラクリを表沙汰にするんです。在庫と帳簿を合わせるのはウチの仕事なんですから、部長がそれを指摘しても、出過ぎた真似だと突っぱねることは真瀬さんにはできません」

「なるほど」

摂子の機転に、倉田は顔を上気させて悪戯っぽく笑った。

「実際に二千万円分のドリルを融通できるかどうか、見物じゃありません? もし出来なければ、相模ドリルに対してお金を返してくれといえます。まあ、私の推測では、あの二千万円はとっくに使ってしまって、そんなお金が相模ドリルに残っているとは思えませんけど。きっと相模ドリルも真瀬さんも困り果てると思いますよ。さあ、どうするのか、これは楽しみです」

倉田は名参謀と化した部下に感嘆の眼差しを向けた。

「うまいぞ、西沢さん。それだ！」

3

「真瀬さん、ちょっとよろしいですか」

その日の夕方、真瀬の帰社を待って、倉田は営業部のシマへと歩いていった。帰ったばかりの真瀬は、倉田に面倒くさそうな一瞥《いちべつ》をくれただけで、ろくに返事もしない。

「ちょっと確認していただきたいものがあるんですけど」

「確認？　なんだよ。手短にしてくれ」

乱暴にいった真瀬は、伝票かなにかが出てくるものと勘違いしたらしく待ちかまえる。

「いえ、ちょっとここには無いので、一緒に来ていただけませんか」

「来い？　いま帰ったばかりで見ての通り忙しいんだけどね」

真瀬はむっとして、倉田を見上げた。

「在庫の件です」

「またかよ」

真瀬は嘆息してみせる。「そんなもの、オレじゃなくてもわかるだろうに」

「相模ドリルからの仕入れ分ですが」

真瀬の目の奥に電気が走った——ように見えた。倉田は続ける。多少、声を落として。「どうもヘンなんじゃないかなと思いまして」

「ヘンだって？」

その声は真瀬の喉にひっかかってようやく口からこぼれてきたようだった。真瀬の目に陰ができた。

「とにかくお願いします」

そういって倉田は歩き出す。二、三歩先に立って振り返ると、前のめりになった真瀬が足早についてくるのが見えた。

一階にある倉庫の片隅に降りた倉田は、問題のドリルの前へ向かう。そこには、すでに摂子が、江口を伴って待っていた。

「随分、大袈裟なことをするじゃないか」

真瀬は虚勢を張った。

「大袈裟にもなりますよ、金額が大きいですから」

倉田はしかつめらしい表情でいった。「ちょっとこれ見てください」

倉田は、相模ドリルから送られてきた在庫から一本を取り出し、真瀬の顔の前に晒《さら》す。

「ご存知の通り、これは相模ドリルから送られてきたものです。購入価格は約二千万円。極小径高速回転用工作機械に搭載するための新品のドリルのはずですよね。ところがよく見て下さい。これは再研磨の中古品だ。しかも価値はほとんど無いに等しい」

真瀬はこたえなかった。ドリルは一瞥しただけ。顔から表情が抜け、真夏の夕刻の、昏《くら》い倉庫の片隅を流れる時間――それを刻む音が聞こえるようだった。

「あれ、おかしいなあ」

真瀬はぎこちない笑いを浮かべた。それから江口を振り返り、「おい、江口君。これが本当に相模ドリルから送られてきたのか」ときいてみせる。ヘタな芝居だった。

「ええ、間違いありません」江口が頷いた。

「だとすると誤配だな。文句をいってやる」

真瀬が頬を震わせたのを見て、倉田はいった。

「誤配ではないそうですよ。江口君を通じて先方担当者に確認しましたから」

真瀬は自分の退路が狭まっていくのを感じたはずだ。目をしばたき、「確認した？

誰に」と江口のほうに詰め寄る。

「先方の発送担当者です。社長からわざわざ廃棄用ドリルを送るように言われたそうで……」

「そんなバカな話があるか！」

真瀬が唾を飛ばしてわめいた。顔面は真っ赤。タバコの吸いすぎと連夜の大酒がたたったか、唇は紫色に変色している。いまにも心臓発作でぶっ倒れてしまうのではないかと、倉田は思った。

「誤配だろ。それ以外に考えられないじゃないか」

予想通り、真瀬は主張した。倉田を睨み付け、反撃に備えて身構える。だが――。

「真瀬さんがそうおっしゃるのなら、そうでしょう」

倉田の返事は、真瀬が予想していたどんな反応とも違っていたと思う。それは鳩に豆鉄砲を食らわせたような真瀬の顔を見ればわかった。

「では、どうすればいいですか、真瀬さん」

どこかきょとんとしている真瀬に倉田は逆にきいた。「とりあえずこの廃棄ドリルは先方に返却するとして、当然、新しいドリルをお送りいただけるんですよね」

「も、もちろんだ」

真瀬はいった。

「お忙しいところ重ねてお願いして申し訳ありませんが、いつ正しい商品を配送していただけるのか、先方に確認していただけませんか。総務としては大至急お願いしたいんです。このまま八月を越してしまうと、二千万円の価値があることになっている在庫の価値をゼロに評価替えしなければならなくなりますからね。真瀬さんも、そんなことで八月の成績を赤字にしたくはないでしょう」

「当たり前じゃないか」

真瀬は、「相模ドリルに確認してみるから、ちょっと待っててくれ」、というとくるりと背を向けて逃げるように立ち去っていった。

「ご苦労様」

江口に礼をいい、倉田も摂子とともに三階へ向かう。

「やりましたね。あの真瀬部長の慌てぶり、誰かに見せてやりたいぐらいでした」

摂子が、微かに頬のあたりを上気させていった。

「いつもやられてばかりだが、今回ばかりは一矢を報いることができたかな。西沢さんのおかげだ」

「いえ、そんな」

摂子は謙遜していった。「これで少しは大人しくなるんじゃないでしょうか」

すぐに新品のドリルを届けさせるからと真瀬から連絡があったのは、それから間もなくのことである。

その答えは、倉田と摂子にとっては、少々意外だった。

困り果て、回答を先延ばしにするのではないかと思っていたからだ。

「本当に入るのかな」

半信半疑で倉田はいったが、果たしてその翌日、新品のドリルが山と積まれている光景に、倉田は言葉を無くした。

困り果て、対応を先延ばしにするのが関の山だと思っていたのに、その予想は見事に外れたことになる。

「本当に入りましたね」

真新しいケースに入ったドリルを眺めた摂子の、なにか信じられないものでも見つめる表情を見れば、それがいかに意外かわかろうというものだ。

「そのようだね」

呆然としていった倉田の胸には疑問が満ち満ちた。

果たして真瀬は、どのようにしてこのドリルを調達したのか？

それとも本当に誤配だったのか？

「これ、新品なんだよね」

倉田が確認すると、

「新品です。研磨品でも使用済みでもありませんでした」

と江口が認めた。「さっき検品してみたんですが、注文通りの極小径です」

「本当に誤配だった、ということはないよね」

「もちろんです」

江口はいった。「何を企んでるんですかね、真瀬部長は」

倉田は思いつく言葉もなく、「そうだな」としばし考えてみるが答えが出るわけでもない。

「これ、新規開拓に使うという話でしたよね」

摂子がきいた。「新規先であれば、総務部で内容を検討することになっているのに、何もいってこないのはおかしくないですか。本当にそんな売り先、存在するんですか」

摂子は業績会議での真瀬の発言を信じてはいない。

「それと、真瀬さんのことですから、仕入れの見返りに裏でマージンを取っているかも知れません。不自然です」

摂子の指摘は厳しかった。「銀行で個人口座を調べたらわかるんじゃありませんか。はっきりさせるべきだと思うんです」

「それはちょっと難しいな、個人情報に関することだからね」

曖昧に返事をした倉田に、摂子は大いに不満らしく、「何か方法はないんでしょうか」と訴えるようにいった。「疑わしいのに、きちんと対応しないのは、不正を助長するようなものだと思います。野放しにしておいたら、ますます会社が不利益を被るかも知れません」

「まあ、それはそうだな」

倉田は、青葉銀行中野支店の担当者、村井の神経質そうな顔を思い浮かべた。「とりあえず銀行に相談してみるけど、あまり期待しないでくれ」

会社を出て、駅への緩い坂道を下っていく。

その道々、役員を兼務する営業部長に不正の疑いがあると告げられた融資担当者がどんな印象を抱くか考えてみる。

ナカノ電子部品に対する融資に悪影響を与えてしまうことだけは回避するつもりだが、会社を良くするために超えなければならないハードルにしては少々荷が重い。

「不正の疑い、ですか」

銀行ビルの二階。融資のカウンターで対面した村井は、案の定、表情を消して倉田をじっと見つめた。青白い人差し指で眼鏡を押し上げ、細い一重まぶたの目の奥で様々なことを思案しているのがわかる。

「可能性がある以上、放っておくわけにもいかなくてね。それを確かめたいんだ」

「相模ドリルという会社からの不正なインセンティブを得ているという動かない証拠が必要だと？」

「まあ、そういうことだ。どうだろうか」

すぐには返事がなかった。

出向中という倉田の立場もちょっと微妙ではあった。銀行員であり、銀行員でなし。確かに、籍は銀行にあるが、実質取引先の社員として過ごしているわけで、そういう人物に行内限りの情報を流していいのかという迷いはあるだろう。倉田が逆の立場でもきっと困惑するに違いない。

「副支店長に相談して来ますので少々お待ちいただけますか」

そっと倉田が顔をしかめたのと同時に村井は立ち上がり、フロア奥のデスクで書類を読んでいた木坂《きさか》のところへ話しにいった。

「いやあ、どうもどうも」

馴れ馴れしい愛想笑いを浮かべて木坂はやってくると、「どうですか、たまには」と空いている応接室を勧める。

込み入った話をカウンターでするわけにもいかず、倉田は勧められるままに個室に入って、ソファにかけた。

「概略は伺いました。大変ですねえ」

その言葉にはどこか倉田に対する優越感みたいなものが潜んでいる。

「中小企業には中小企業の悩みというのがありまして」

倉田はこたえた。「まあ、人間が集まるところですから、いろいろなことが起きますよ」

「でも営業部長さんなんでしょう。不正をされているのは」

興味津々の木坂の質問に、「そうと決まったわけではありませんから」と倉田はやんわりといい、やっぱり銀行に話したことをちょっと後悔した。

「そのことは持川社長もご存知なんですか」

「いえ、知りません。まだ私のところで内偵《ないてい》の段階なので」

うなずいた木坂は、「ただ、個人情報となると、ちょっとねえ」と案の定、渋い顔をした。

「そこをなんとかお願いできませんか」

倉田がいうと、木坂はじっと腕組みをして思案した後、村井に命じて真瀬の預金口座を調べさせた。

「仕方がありませんね。今回だけですよ」

すぐに木坂に来客があって助かった。副支店長が中座し、倉田はひとり応接室で村井が調べてくれる結果を待つ。

ところが、しばらくして戻ってきた村井は、浮かない表情で真瀬の氏名と住所を書き付けた倉田のメモを持って戻ってきたのである。

「倉田さん、この方の預金口座、うちにないんですけど」

「えっ」

倉田は短い驚きの声を上げた。「ない？」

そんなはずはない。

ナカノ電子部品は、全員が青葉銀行中野支店に普通預金口座を開設し、そこを給料振込の指定口座にしているはずだ。

「ちょっと待って。いま確認してみるから」

その場で摂子に電話をかけ、真瀬の給料口座がどこにあるか聞くと、「たしかに、こちらの記録では青葉銀行ではなく、多摩銀行になってますね」と意外そうなこたえがあった。

「すみません、部長、私のミスです」摂子が詫びた。

多摩銀行は、都下に本店を置く地銀だ。

失敗したな、という思いはそのときになって倉田の胸に滲みだしてきた。真瀬の口座がてっきり青葉銀行にあると思いこんで確認しなかったのは倉田の凡ミスでもある。それがわかっていれば、余計なことを取引銀行の融資担当者に話さなくて済んだのに。これでいらぬ憶測を呼ぶきっかけをつくってしまったことになる。

「いやあ、申し訳ない」

倉田は気まずい思いで村井に詫びをいった。「てっきり給料振込の口座があると思いこんでいたが、勘違いだったらしい。お忙しいところお騒がせしました」

「いいえ。また何かあったら遠慮なくいってください」

心底同情したような村井の顔に見送られ、倉田は融資課のある二階から一階へ下りた。

それにしても思いがけない空振りだ。営業課で用事を済ませようと待合いの番号札を引いた倉田の胸に、じわじわと苦いものが染み出してくる。

ところが、そんな倉田に意外な情報をくれたのは、テラーの小川だった。テラーというのは、預金の窓口を担当している行員のことである。

「こんにちは。いらっしゃいませ」

小川は、中野支店一のベテラン行員で、倉田と同年代だ。若い女子行員が多い中、ひとりで平均年齢を引き上げているが、事務処理は正確、知識も豊富で、その信頼は何事にも代え難い。

「そういえばさっき村井さんが質問に来たんですが、大丈夫でしたか」

定期預金の継続処理を頼んで待っている間、オンライン端末を操作しながら小川がきいた。

「ああ、小川さんにも聞いたのか、彼」

「真瀬さんの件ですよね」

「知ってるの？」

「ええ。一応」

小川の顔が少し曇った。

「以前、トラブルになったもんですから」

「トラブル？」

「そうなんですよ」

小川はカルトンに入れた通帳と伝票を倉田の前に差し出していった。「本当はあの方、うちに預金口座を持っていらっしゃったんです。ところが、あることで揉《も》めて、結局、解約されてしまって――」

「そうだったのか」

初耳である。「なんで揉めたんだい」

「クレジットカードの入会をお断りしたんです」

「どういうこと？」

尋ねた倉田に、小川は三年ほど前の話だと断って、こんな話をしてくれた。

青葉銀行がクレジットカードの新規加入キャンペーンをしたとき、ナカノ電子部品に出向していた倉田の前任者がひと肌脱いで、社員の申し込みを取りまとめたことがある。その中に、真瀬の申込書も入っていたのだが、後日、系列カード会社から入会できない旨の連絡を受けた。

「理由は？」

倉田は驚いてきいたが、小川はさすがに言葉を濁した。「その辺りのことはお察しください」

「それで、真瀬さんはそのとき――？」

倉田は驚いてきいた。

「会社での取引があるから断られるとは思っていなかったみたいですね。私がクレジットカードはできないと申し上げると、物凄い剣幕で怒鳴り散らした挙げ句に、それまで作っていた普通預金まで解約されてしまったんです」

だから、あるはずの青葉銀行に口座がないのだ。この話から推測されることはそう多くない。おそらく真瀬は多重債務、ないしは信用事故を起こした過去がある――。

「すみません、ちゃんと確認すべきでした」

会社に戻ると、摂子はそういってまた詫びた。

「いや、私も気づかなかったから」

倉田がいうと、

「ちょっとマズかったですか」

そう遠慮がちに摂子はきいてきた。

「まあ、あんまり印象のいい話ではないからね」

すみませんでした、ともう一度口にした摂子に、倉田は真瀬の信用問題について聞こうとして思い止まった。クレジットカードの審査の件は、銀行員としての立場で知り得た個人情報で、いかに摂子相手でも話していいことではない。

「仕方がない。もっと他の方法を考えよう」

倉田はいったものの、何か他にうまいアイデアが浮かぶ自信はまるでなかった。

4

午後七時過ぎの総武線は比較的空いていた。

やってきた電車に乗り込むとき、倉田の頭の中は、真瀬のことから「名無しさん」へ、仕事上の敵から私生活上の敵へと塗り替えられていくのがわかった。

椅子にへたりこむようにかけ、ハンカチで顔の汗を拭った。空いている車内は冷房が効いていて快適だ。

新宿で山手線に乗り換える。すると、次の代々木駅で、緊張して乗降客を見てしまう自分がいた。いったいいつまでこんなことを続けるのか、腹立たしさに顔をしかめたとき、倉田の携帯電話が振動した。

七菜からだ。

「ママが買い物がてら迎えにいくから駅の到着時間、教えて」

健太が防犯カメラを設置して以来、倉田家への悪質な悪戯はまだない。

今度はいつくるのか。それともう来ないのか。車窓を流れる代々木から原宿界隈《かいわい》の夜景にぼんやり視線を投げかけながら、倉田はそれとなく考えを巡らせる。

それもこれも、倉田のいつにないお節介が引き起こした事態だといえばその通りだ。善悪はさておき、家族に申し訳ないという思いが先にたつ。

このまま収まってくれたら、それでいい。

だが――。

この日倉田は、最寄りのセンター南駅で十分近く待たされることになった。

到着時刻は渋谷駅で知らせてある。

おかしいな、と思ったとき携帯電話に着信があった。

「パパ？」

七菜からだった。「大変なんだ」

「なにかあったのか」七菜の声を聞いたとたん、嫌な予感がした。

「クルマのタイヤがパンクしてる」

「パンク？」どくんとひとつ、心臓が躍った。

「四本全部よ。こんなことってある？」

また、来やがった――。

「防犯カメラ、どうだ」

倉田が真っ先にきいたのは、それだった。

「いま、お兄ちゃんが調べてる。悪いんだけど、バスで帰ってきて。ごめんね」

倉田がしたことは、バスではなくタクシー乗り場に移動することだった。悠長にバスでなんか帰る気分ではなく、一刻も早く家に帰り着いて、何が起きたのかを見たい。

やってきたタクシーに乗り込んだ倉田の脳裏に浮かんだのは、「これはゲームなんだよ」というかつての健太の言葉だった。

冗談じゃない。

タクシーの中から、珪子から聞かされていた交番の番号にかけた。状況を説明し、この前と同じ犯人ではないか、と告げる。話しているうちに興奮し、犯人に対する怒りが倍増していく。

「そうですか。わかりました。とりあえず、そちらへ向かいますんで」

電話から聞こえてくる巡査の声はどこかのんびりとしていて、倉田の精神状態とはかけ離れたものに聞こえる。

もともとそういう性格なのか、あえて安心させようとしているのかは、わからない。警察にしてみれば、こんな悪戯での通報は日常茶飯事で、特段、慌てるようなことでもないのかも知れない。

「トラブルですか、お客さん」

ルームミラー越しに、運転手がきいた。五十歳過ぎの、人の良さそうな運転手だった。

「そうなんだ」

倉田はこたえた。「ヘンな奴がうちに嫌がらせしててさ」

「嫌がらせっていうと、どんなことするんですか」

興味を抱いたらしい運転手はきいた。倉田がこれまでのことを話すと、

「ひでえな、そりゃ。逆恨《さかうら》みですか。何者なんです、そいつは」

ルームミラー越しに運転手も怒りを浮かべた眼差しを向けてくる。

「わからないんだよ」

苛々しながら倉田はこたえた。「ただの通りすがりみたいな奴で、手がかりもない。向こうは知っていても、こっちは向こうの名前も住所もわからないんだよな」

そういった倉田は、少し思い立ってきいてみた。「この前、すごい雷の夜があったでしょう。このニュータウンのどっかで火事があった晩。あの夜、このヘンで、不審人物、乗せなかった、運転手さん？」

「ああ、そんとき、私は運転してたかなあ。非番の夜もあるんでね」

運転手は、申し訳なさそうな口調でいった。「ただ、記憶にある限りではないですね」

「そうか……」

とはいえ、たまたま乗り合わせたタクシー運転手が、犯人らしき男を乗せていたなどという偶然があるわけはなかった。

「気味が悪いですね、それにしても。実は私もこの近所に住んでるんで、人ごとじゃないですよ。気をつけてくださいよ、お客さん」

心底、同情してくれたらしい口調で、運転手はいった。もちろん気をつけてはいる。だけど、今回のように不可抗力で巻き込まれてしまうことだってあるんだ。これは決して不注意が招いた事態ではない。

倉田がそんなことを思ったとき、フロントガラス越しにわが家が見えてきた。

「最後にクルマに乗ったのは、何時頃ですか」

駆けつけてきた巡査は、木下という、二十代のひょろりとした若者である。先日クルマのボディが傷つけられたときにやってきて、名刺を置いていったのも木下だ。

「夕方買い物にいって、その後娘を駅まで迎えにいきましたから――」

珪子がこたえた。「七時過ぎだと思います。息子は八時頃に帰宅しましたけど、自転車で帰ってきたので、クルマは出していません」

「その間、ずっと家にいらしたわけですね」

ノートに書き付けてから、木下は、健太が操作しているモニタに視線を向けた。やがて、

「あ、こいつだ」

健太がいい、四分割された画面のひとつを指さした。

珪子が右手で口のあたりを押さえ、その肩越しに七菜がじっと視線を注いでいる。

倉田は椅子に座っている健太の肩越しに画面を覗きこんだ。

センサーライトに照射され、男が映っていた。

帽子をかぶった、サングラスの男である。顔は見えない。おそらく奴だろう。最初に見たときは三十前後だと思ったが、あまり年齢を感じさせないラフな雰囲気だった。車庫に入ってくるなりクルマのフェンダーに屈み込んだ男は、バッグから何かを取り出そうとしている。

クルマの陰に見え隠れしながら、犯行を終えるまで約二分。モニタに映し出された時間は、午後七時十三分から十五分の間だ。

センサーライトが点灯してるのに動じる気配はない。もっとも、ライト自体は元々設置されており、前回ボディのキズを付けたときも点灯していたはずだ。

「顔がはっきりとは見えませんが、この男ですか」

木下が、倉田にきいた。

「たぶん、そうだと思います。風体《ふうてい》とか、あのとき見た男もこんな雰囲気でした」

「他に犯人の顔が映っているような映像はないですかね」

木下に言われ、玄関や家の背後を映したカメラ映像を確認してみたが、そっちには映っていなかった。

名無しさんは、どこからともなく現れ、欲望を満たすや、帰っていった。いや、もしかしたらまだこの周辺に身を潜めて、倉田家をそっと見ているのかも知れない。

自分が防犯カメラに捉えられていたことも知らず。

この男にとって、倉田たちが怒り、慌てる様は無上の愉《たの》しみに違いない。そして、溜飲《りゅういん》を下げる。弱者たちの動揺に。自分がしかけた攻撃に弱る様に。

せいぜい、酔い痴《し》れているがいい。

倉田は秘かに思った。

果たしてどこの誰かはわからないが、はっきりと顔が映らないまでも、こうして防犯カメラに姿が捉えられたことは大きな前進だ。

木下は、小一時間もかけて決められた調書を取ると、また自転車に乗って夜道を引き返していった。

「だけど、ヘンだな」

健太がいったのは、倉田が遅めの夕食を取り、風呂から上がったときだった。撮影データをノートパソコンにコピーしたものを、健太はリビングのテーブルで熱心に覗きこんでいる。

「ヘンって、なにがだ」

倉田が聞くと、「この帽子にサングラスだよ」、と健太は真剣な顔で写真の顔のあたりを指先でとんとんと叩いた。

「この前、七菜がスマホで撮った写真は、帽子もサングラスもしてなかっただろ。なんで今日に限ってこんな格好なんだろうと思ってさ」

「暑かったでしょう、今日は特に」

珪子がいったが、健太は納得したふうではなかった。

「なにがいいたいんだ、健太」

「だいたい、夜にサングラスってヘンだろ。なんか、防犯カメラ意識してないかな、こいつ」

そう言われれば、たしかに妙だな、と倉田も思う。

「気づいたかもよ」

と七菜。「だから、帽子とサングラス姿になったのかも」

「カメラがあることに気づく場所まで近寄ったらここに映ってるはずなんだよな。念の為、他の日の映像も確かめてみたんだが、そんなのどこにもない。どうしてわかったんだろう」

全員が考え込み、束の間の沈黙が挟まったが、答えはでない。

「偶然、そういう格好したんじゃない」

珪子の意見を、健太はスルーした。納得できないのだ。

「どんな仕事してる人なのかな」

七菜がいった。「なんかさ、ラフな格好だけどフリーターって感じでもないよね。なんとなく、オシャレな感じしない？　格好はラフだけど、安物を集めて着てる感じじゃないっていうか」

「シャレた格好してても、オタクはオタクだ」

容赦なくいった健太は、じっと静止画像の男を見据えて言葉を継いだ。「だけど、七菜がいうように、そこそこの仕事をして給料もらってる奴だな、こいつ」

「なんでわかる」と倉田。

「このシャツとパンツ、この写真だけではどこのかはわからないけど、ブランドもんだと思うぜ。見づらいけどこれ、このシャツにはストライプ入ってるよね。今年流行りの柄だ。つまりはまだ新しいってこと。パンツも丈がきっちりしてて、これはセレクトショップの店員なんかにありがちな着こなしだな。それにこの靴——革靴だよね。フリーターがこういう着こなしはしないだろ。こいつ、結構流行なんかにもうるさい奴だ。それに、この時計——」

健太は、犯人が嵌《は》めている時計を凝視した。「これ、フランクミュラーじゃないかな」

「なんだそれ」

きいた倉田に、「スイス製の高級腕時計ブランドだよ」、と健太はこたえた。

「なんで、そのブランドだって、わかるんだ」

「ぼんやりとしか映ってないけど、トノー型、つまり樽の形してるだろ」

言われてみると、確かに丸形ではなく、樽の形をしているように見える。

自慢じゃないが、昔からファッションには関心がない。結婚して二十五年、珪子が選んでくれる服を文句ひとつ言わずそのまま着てきた。一方の健太は、最近の若い者らしく、ファッションには一家言ある。

「いくらするんだ」

倉田がきくと、「安い奴でも六、七十万円はする」という健太の返事に魂消《たまげ》た。

「そんなに高い時計が売れるのか」

哀れなものでも見る眼差しを、健太は向けてくる。

「オヤジが知らないだけで、世の中に金持ちはいくらでもいるんだよ。オレの知ってるテレビ局のプロデューサーなんか、自動巻きの高級腕時計なら五、六本は持ってるぜ。みんな何百万円もする奴ばっかりだ」

「バカだな、そんなもんにお金を遣って」

嫉妬《しっと》半分で切り捨てた倉田に、「バカじゃないよ」、と健太はやけに真剣な顔でいった。「ライフスタイルだ」

時計がライフスタイルだって？　倉田はあきれた。まったく、奇妙な世の中になったもんだ。じゃあ、オレのライフスタイルはどうなる。紳士服の馴染みはアオキ。靴はせいぜい一万五千円程度がいいところで、時計はセイコークオーツただ一本。服は着れればいい、時計は正確に動けばいい――それがオレのライフスタイルって奴か？

しかし、そうやって家族を養ってきたんだ。

だが、倉田は、そうした悲憤を口にはしなかった。いま論ずるべき問題ではないし、言えば自分が惨めになるだけだということもわかっている。

「まあ、これがフランクミュラーかどうかはさておき」

健太が続ける。「こんなふうにオシャレに気を遣っているところからしても、そこの年収がある奴だと思うな。この斜めがけにしてるメッセンジャーバッグだって、はっきりと映ってはないけど安物じゃないと思うぜ」

健太による写真の分析に舌を巻いた倉田に、健太は付け加えた。「まあ、年収八百万ってとこじゃない？」

倉田は啞然とした顔を上げた。出向したいまの自分よりも多い。サラリーマン生活三十年の自分が、こんな奴に収入で負けるのか。

「結構な額じゃないか、それは。一流のサラリーマン並みってことか」

悔しさを押し隠して倉田はいった。そんな奴が割り込みをし、注意されたことを逆恨みしてストーカーまがいのことをする。ますます許されない暴挙だ。

「こいつはたぶん独身だね」

健太は続けた。「あるいは、夫婦共働き。だから余計に金は自由に使えるんだよ──だって、こんなことのために夜更けに出歩いたりなんて、家族がいたらできるわけがない」

「ご苦労なことだ」

倉田の皮肉に、「それだけ、オヤジに腹を立てているってことだな」、と健太は結論づけてから続けた。

「しかも、こいつは一般人だよ」

その言葉は、複雑な響きを伴って倉田の胸に届いた。

「一般人？」

思わず問い返した倉田に、健太は真顔で続ける。

「そう。年齢はたぶん三十半ばで、どこかの会社に勤めていて、たまに商談もこなす。

もしかすると部下がいて、オヤジみたいに部下の人事査定とかしてるかも知れない。そこそこのマンションを借りるか買うかしていて、収入に見合う生活をしている——。要するに、世の中にゴマンといる一般人のひとりに過ぎないんだよ。この男だけが何か特別じゃない。特徴や趣味から特定できるほどのものは何もない。つまり、どこにでもいる普通の人なんだ。だから怖いんだよ」

普通の人だから、怖い——。

その言葉は、妙な説得力をもって倉田を愕然とさせた。

だが、普通の人がこんなことをするか。自分の非を咎《とが》められたからといって美しく咲き誇っているダリアを踏み荒らし、猫に瀕死の重傷を負わせて郵便受けに放り込み、一度ならず二度までもクルマに悪戯をするか。それが普通の人のすることか。

「いまはもう、ムラ社会の常識は通用しないんだよ。それが通用したのはせいぜい昭和までだ」

健太の言葉は、倉田の価値観に罅を入れた。「ムラでは、お互いに顔を知っていて、それがどこの誰で、父親が誰で、仕事は何で——みんなが知ってるだろ。だから本当に悪い奴だって、簡単には悪いことができないわけだ。すぐに捕まるからね。つまり、素性がわかっていることが、抑止力になってたわけ。だけど、満員電車で背中をくっつけてたって、相手はどこの誰だかわからないこの世の中で、そんな抑止力なんて期待できるわけがない。名前も住所もわからなきゃ、ましてや性格なんて知りようがない。つまりは匿名の世の中なんだ。コノヤローと思ったとき、ムラ社会なら世間体が先に立つから遠慮する。すみませんと謝罪するかも知れない。だけど、匿名が前提の世界では、たとえ顔を見られていたって、こっちの素性さえわからなければ仕返しできるんだ。徹底的に、ときにはゲーム感覚で。そして忙しい警察も、ある程度のところまでは見逃してくれる」

「やめて、健太。聞くに耐えない、そんな話。ほんとうにもう」

珪子はいい、ガスが横たわる段ボールのほうへ行ってしまう。やがて、「ねえ、ガスちゃん。怖いよねえ」と猫に話しかける珪子の声がしはじめた。

「だけど、現実だよ」

声を落として、健太はいった。

倉田もそう思う。そう、これは現実なのだと。車庫にいって、マイカーを見てみればわかる。無惨にキズつけられ、タイヤはぺしゃんこのままだ。悪夢でもなんでもない。これは紛れもない現実なのだ。

倉田が重たい吐息を洩らしたとき、インターホンが鳴った。

「誰だ、こんな時間に」

　午後十時近くなっている時計を見上げ、健太がいった。

「夜分にすみません。港北交通の高橋と申します。先ほど、ご主人を駅から乗せてきたタクシーの運転手ですが」

　聞こえてきたインターホンの声に、ボタンを押したままの珪子が倉田を振り向いた。

「出るよ」

　珪子にいって玄関のドアを開けると、地味なシャツを着た男が立っていた。

「あの、何か忘れ物でもしましたか」

　遠慮がちにきいた倉田に、「いえ、そうじゃないんです」、と高橋は顔の前で手をふった。

「さっき乗車されたとき、嫌がらせの話、されましたよね。たしか、この前、港北ニュータウンで火事のあった晩にも被害に遭われたって」

「ええ、そうですが。それが何か……」

「気になったんで同僚に聞いてみたんですがね、その晩、この辺りで、不審な男を乗せたクルマがあるんです。もしかして、お宅の件と関係があるかも知れないなと思いまして」

「ほんとうですか？」

倉田は驚いてきいた。「どんな奴ですか」

「三十前後の男だったそうです。同僚の運転手が、先週の火事の晩にちょっと怪しげな男を乗せたとかで。後で、あれがもしかしたら放火魔だったんじゃないかって思ったらしくて、覚えてたんです。それで、もしかしてと思いまして」

先日の火事の原因が放火だったという記事は、その後、新聞で読んだ。

「乗せたのは何時頃ですか」

「午前二時を過ぎていたそうですよ」

倉田は瞬きすら忘れて相手を見ると、さすがに高橋は気後れした表情になった。

「すみません、余計なことでしたか。以前、私も同様の嫌がらせを受けたことがあって、人ごととも思えなくてつい。見当違いでしたら、許してください」

「いえいえ、そんなことはない。ありがとうございます」

倉田が顔の前で手を振っていった。いつの間にか話を聞いていたらしい家族も玄関先まで出てきている。

「その運転手さんの話、聞かせてもらうわけにはいきませんか」

そういったのは健太である。

「もちろん。その運転手には、さっき電話して、もし役立つようなら協力してくれないかって頼んであります。喜んで、協力させてもらうといってましたよ」

思いがけないところから、手がかりが飛び出してきた。しかも、初めてといっていい強い手がかりが。

「タクシーに乗ったんなら、自宅まで送ったかも知れない」

高橋の車が自宅前の道路を走り去っていくのを見届けながら、健太がいった。「ついに反撃のときが来たぜ」

5

その高橋の手配で、くだんの運転手、山畑《やまばた》をセンター南駅から少し離れたタクシー会社の事務所に訪ねたのは翌日の午後のことであった。

山畑は、高橋と同年代の男で、倉田と健太、それから木下巡査の顔を見ると、恐縮したように頭を下げた。倉田たちだけではなく警官も一緒だということで、タクシー会社の応接室を使わせてくれたのはありがたかった。

その夜のことを、山畑はよく覚えていた。

「なにせ、気味悪い客だったんでね。あんな時間に、あんな場所で何してたんだろうって思いまして」

そういった山畑に、防犯カメラが捉えた画像を見せる。

「ああ、そうそう、こんな感じの人ですよ」

健太が顔を上げてにんまりした。木下はクソ真面目な顔で、話をノートに書き付けている。

「どこまで乗せたんですか」

木下がきくと、

「武蔵小杉です。なんなら記録を見てもらえばいいんですけど」

運転手は迷わずこたえた。

「降ろした場所は、武蔵小杉のどこですか」

木下がきいた。自宅の前で降ろしたのなら、犯人の素性はこの日の内にも判明するところだ。それを期待した倉田と健太であったが、

「駅ですよ」

という運転手の答えには、落胆せずにはいられなかった。

「駅？」

きょとんとして健太がきく。「でも、その時間にはもう、終電なかったと思うんですけど」

「私もいったんですよ。お客さん、とっくに終電ないですよってね。そしたら、腹が減ったんで、何か食べて帰るっていってたな」

腹が減っただと？　ふざけた話だ。倉田は無性に腹がたった。山畑は念のために地図を持ってきて降ろした場所にエンピツで印を付けてくれる。

「あの――」

そのとき健太が何か思いついたらしく、口を挟んだ。「ここから、武蔵小杉って結構な運賃ですよね。そいつ、現金で支払ったんですか。それとも、クレジットカードで？」

いい着眼点だ。カードを使えば記録が残るから本人を特定することができる。

「現金ですよ」

山畑がこたえ、健太の嘆息が聞こえた。

「こんな晩に大変ですねっていったら、趣味と実益を兼ねてるからって。気味の悪い客でしたよ」

倉田は虚を突かれて、思わず山畑の顔を凝視した。

趣味と実益？

その言葉は、奇妙な響きをともなって、何ともやりきれない感触を倉田の胸に運んできた。

タクシー会社で木下と別れた。自宅に戻っても、山畑の話を聞いて感じた気色の悪さは、拭いきれず倉田の胸に染みついている。

「どうした、オヤジ」

リビングのソファに腰を下ろした健太がきいた。

「お前、気にならなかったか、趣味と実益って、言葉」

倉田は健太にきいた。

「嫌な言葉だ」

健太がこたえた。

まだ趣味というのはわからんではない。なにせ異常性格者だ。だが、なんで実益なんだろう。そう思ったとき、倉田ははっと顔を上げた。

ソファを立ち、食器棚の一番右の引き出しを開けてみる。

「どうしたの？」

お茶を淹れる手を休めて珪子がきいた。生活費だ。無くなっているんじゃないか
——そう倉田は疑っていた。だが、果たして銀行の封筒入りの現金は、そこにあった。

「思い過ごしか」

安堵とともに、倉田はつぶやいたが、一応、封筒の中味を出してみる。そこに金があれば数えてみないと気が済まないのは、銀行員の習性だ。

珪子には毎月二十万円を生活費として渡していた。足りたり足りなかったりだが、足りないときには必要な額をその都度、渡すことにしている。

「十万円」

数えた倉田が金額を口にしたとき、「えっ？」という珪子の声がした。

流しの前にいた珪子は、ぽかんとした顔で倉田と、その封筒を見ている。エプロンで手を拭きながらやってきて、「ちょっといい？」と珪子は倉田の手から封筒を受け取った。

「あなたがここから、遣うわけないよね」

「当たり前じゃないか」

倉田がこたえると、珪子は健太を見た。

「そんな目で見ないでくれよ。遣うわけないじゃん、オレが」

「私も知らないよ」と七菜。

珪子の唖然とした顔が倉田に戻ってきた。

「どうした？」

「十五万円、あったはずなんだけど」

「なにかで五万円使ったんじゃないか」

倉田はきいた。「修理代の前払いとか」

「払ってない」

目を泳がせた珪子を見て、

「お前たち、本当に心当たりないんだな」

倉田は念を押す。

「そういうオヤジこそ、飲み代をそこから拝借して忘れてるなんてことないんだろうね」

「あるか、そんなこと」

倉田はむっとして答えた。出向してからというもの、飲みに行く機会はめっきりと減った。

実益。その男が口にしたという言葉が、倉田の胸の中でより不気味な輝きを増した。

まさか、とは思う。だが、あり得ないことではない。

顔色を変えた倉田を、食卓の間を歩いてきたガスが澄んだ目でじっと見上げた。

倉田は、キッチンの端まで歩いていき、そこにあるドアを開けてみた。この家を買ったときのまま、およそ二十年間、とくに補強したわけでもなく使い続けてきたドアだ。世間でピッキング被害が広がってきて、道具さえあれば簡単に開いてしまうという話は聞いていたが、対策は延び延びになっていた。どこかに、ウチだけは大丈夫という、根拠のない油断もあったかも知れない。

「嘘でしょ」

信じられないという顔で七菜がつぶやいた。さすがに、顔が青ざめている。

念のためドアノブに顔を近づけて見てみたが、こじあけたような痕跡《こんせき》はなかった。あれば気づくだろう。痕跡もなく開いてしまうから、恐ろしいのだ。

倉田はそっとドアをしめ、自分を見つめている三人を振り返った。なんといっていいのかわからない。倉田だけではなく、家族の誰もが言葉を失い、茫然と立ちつくしている。

いまこの家がさらされている現実が、そっと胸に忍び入ってきた。

名無しさんは、倉田家の中にまで入り込んでいたのではないか。

6

「盗まれたのは五万円で間違いないですかね」

都筑警察署からやってきた防犯課の刑事は、何度もそれを確認した。その横では、木下が少し神妙な表情で立ったまま事情聴取の様子を窺っている。

倉田家のリビングだった。

ソファにかけた刑事は、ひとりが四十過ぎの高倉健似の男で、もうひとりはそれより少し若かった。名刺によると、高倉健似のほうが枚方《ひらかた》、それより少し若い刑事は尾《お》村《むら》という。尾村は、ポロシャツを着たどこか愛嬌のある顔をしていたが、口数は少なかった。枚方との一問一答を、ひたすらノートに書き付けている。

「たぶん、五万円で間違いないと思います」

倉田はこたえた。

「金額、はっきりわかりませんかね」

枚方の質問に、尾村がノートに書き付けていたボールペンの手を止めて倉田を見る。

「いえその――」

自分が弁明する側に回った気分で、倉田はこたえた。「封筒には最初生活費が二十万入っていて、そのうち五万円は妻が財布に移して遣っていました。であれば十五万残っているはずなんですが、それが十万円しかないんです」

眉間に皺を寄せた枚方は、テーブルの上に置かれている封筒を、手袋をした手でつまみ上げた。

「よろしいですか」

一言断った枚方はもう一度封筒の中の札を数え、間違いなく十枚あることを確認すると元に戻した。そのやりとりを珪子と健太、七菜、それに部屋の隅っこのほうからはガスまでがじっと見守っている。同じ事を相棒の尾村もやってみせ、枚方と首を傾げてみせる。

「あのですね、倉田さん」

彼らが感じたに違いない疑問を、枚方が口にした。「どうも納得できないんだが、なんで、犯人は全部もっていかなかったんだろう」

その聞き方には、「お宅らの勘違いなんじゃないの?」というニュアンスが混じっている。

「必要経費だけ持っていったんですよ、きっと」

脇からこたえたのは健太だ。

「なんです？　必要経費って」と枚方。

「犯人にとって、ウチを標的にするのはゲームなんです。うちにピッキングを使って入ったのもその一環で。つまり、犯人の目的は、復讐ゲームを楽しむことなんです。それには、クルマを傷つけたり、パンクさせたりといったことも含まれるけど、現金を盗むことは目的じゃない。だから、自宅がある武蔵小杉からここに来るための必要経費として五万円だけ抜いてったんだと思います」

健太の説が理解されなかったのは、二人の刑事の顔を見れば明らかだった。木下巡査だけがわかったような顔をしてうなずいてくれたが、それにはどうも実感がこもっていないように見える。

「相手はパラノイアだと思うな」

今度は七菜が発言して、刑事たちの視線を吸い寄せる。「パラノイアって偏執狂って意味ですけど」

学校の友達から〝不思議ちゃん〟と呼ばれている、七菜らしい言葉だ。

刑事が納得した雰囲気はまるでなかったが、「要するにあなた方が言いたいのは、今回お金を盗んだのは、先々週からお宅につきまとっているのと同じ犯人だということですね」と、枚方がまとめてみせた。

「この前お渡しした防犯カメラの写真で何か手がかりはつかめないんでしょうか」

それまで成り行きを見守っていた珪子がきいた。

「一応、手配しましたが、まだ捜査中です」

「吸い殻も渡しましたよね」

倉田がいった。「指紋が出てるとか、そういうのでわかりませんか」

「ああ、あれですか」

苦笑いして、枚方は同僚の尾村と視線を交わした。

「まあ、そういうのはないでしょうね」

捨てずに保管してあるかも怪しいものだと、倉田は疑った。

「だから奴は堂々と出てくるんだよな」

健太がつぶやくようにいった。「見られても見つかることはないと確信してるからだと思う。前科もなく、指紋も採られたこともない。写真を撮られたところで、警察には特定されない自信が犯人にはあるんじゃないかな」

刑事たちの返事はない。

「いずれにせよ、ここのドアの鍵はすぐに取り替えた方がいいでしょうね」

ありきたりな枚方の言葉は、あきらめに似た思いを倉田の胸に植え付けた。

7

「なんか頼りないんだよな」

刑事二人を乗せたクルマを追いかけるようにして、木下巡査の白い自転車が向こうの道路を曲がって見えなくなるのを見送ると、七菜が吐息を洩らした。

「もともと警察がなんとかしてくれるような相手じゃない。こいつはゲームなんだから」

健太がいった。「バーチャルから現実の世界へはみ出してきたゲームだ。それはあの代々木駅でスタートボタンが押されて、犯人の筋違いの憎悪が生み出す様々なダンジョンへと誘い込んでくるってわけ」

「まだやるかな、犯人」

七菜がぽつりとつぶやいた。

「それは犯人に聞いてみないことにはわからないね。花壇を踏み荒らし、子猫を虐待し、さらにクルマを傷つけてタイヤをパンクさせ、五万円盗んで——」

指折り数えた健太の右手が拳になる。

「次は何だと思う?」

七菜がきいた。

「やめなさいよ。そんな話聞きたくない」

「現実から目をそむけちゃだめだよ、ママ」

七菜がいった。「相手は本気なんだから。逃げたらウチの負けになる」

負け。二人の会話を聞いていた倉田の胸に、その言葉は妙に生々しく染み込んできた。負け——。

「勝つためにはどうすればいいと思う」

倉田はきいた。

「俺たちにはいくつか手がかりがあるじゃん。それをたぐっていくしかないんだろうけど」と健太。

「でも、大した手がかりなんてないじゃん。せいぜい武蔵小杉駅の近所に住んでることぐらい。それにあの写真ぐらい」

そういった七菜の顔を、健太が穴の空くほどみつめている。

「お前、肝心なことを見落としてるよ。アイツは自分が武蔵小杉界隈に住んでることを俺たちにつきとめられたことは知らないんだぜ」

「どうするつもりだ、健太」

健太の口調にただならぬものを感じた倉田はきいた。

「駅で待ち伏せしてみようかと思う」

健太はいった。

「私も行く」と七菜。

「やめなさい」

珪子がたしなめた。「だいたい七菜、あなたは勉強があるんじゃないの」

「できるわけないよ、こんな中途半端な気分で」

七菜は言い張った。もともと強情なところのある娘だ。一度言い出したら聞かないことは珪子もわかっている。

「見たところ、それほど堅い商売じゃないと思うんだ、あいつ」

健太はいった。「それに、今までの行動パターンからして、自分の車じゃなくて電車やバスで移動している。だとすれば、午前中一杯、武蔵小杉駅を見張っていれば見つけられる可能性は高いんじゃないか」

「あなた何考えてるの。危ないことやめてちょうだい。警察にも通報したんだから、もう少し待ってみたほうがいいでしょう」

「まあ、それはそうだけどさ」

健太は、母親の説得に一理あると認めたか、言葉を濁した。

「そうだな」

倉田も珪子に加勢する。「気持ちはわかるが、刑事はプロだぞ。犯人を見つけ出すかも知れない。だいたい、こういうことをする奴は、他でも同じことをしでかすに違いないんだ」

「はいはい」

健太は肩をすくめて、七菜は、つまらなさそうに猫を抱き上げた。倉田家にぎこちない沈黙が落ちると、またどこかでくすぶる雷鳴が小さく聞こえた。ここのところ、毎日夜になるとどこかで雷が鳴っているような気がする。熱帯夜の不快さはますます酷くなる一方だし、きっと世の中のネジはどこかで一本、外れ飛んでしまったに違いなかった。

第四章　真夏の攻防

1

「部長、営業部から新規取引先の事前調査依頼が来ましたよ」

摂子から報告を受けたのは、お盆を翌週に控えた金曜の朝であった。

「本当に、新規の取引先があったのか」

倉田がいうと、

「そのようですね」、と摂子も意味あり気にこたえる。

真瀬への疑惑は、結局、裏付けることができず、宙に浮いたままだ。

株式会社イーグル精密、というのが営業部が回してきた新規取引候補の名前であった。

資料には、すでに信用調査会社の簡単な調査票が添付されている。摂子が気を利かせてオンラインで調べてくれたらしい。

本社は川崎市。業種は、電子機器販売となっているが、電子機器といっても多岐に亘り、具体的に何をしているのか、その調査票だけではわからない。

問題は業績だ。

売上は約二十億。しかし、過去二年間は数千万円の赤字になっていた。特に、昨年一年間は四千万円近い大赤字を出しており、調査票による評点も危険水域を示す四十点割れである。

「本当に、ここに売るつもりか」

資料に記載された、販売品目と予想取引高の数字を見た倉田がきくと、「安心できる会社ではありませんね」、と摂子も眉を顰める。

「しかも、決済条件が手形になってます」

倉田は顔をしかめた。

「この会社で全額手形はマズイだろ」

ふたたび資料に目を落とした倉田が見つけたのは、取引銀行欄にある青葉銀行登戸支店の名前だ。同じ銀行同士なら、相手の業績についてより詳しい情報が得られるはずだ。

「ちょっと銀行に行って聞いてみるよ」

「断るにしても理論武装しておく必要はありますからね」

摂子も同意する。「この話、揉めそうな気がします」

「まったく」

倉田は、自席から見える営業部のフロアに視線をやりながらいった。

ナカノ電子部品は、とにかく営業主体の会社だ。扱い商品に特徴があるわけでも、確たる顧客基盤を抱えているわけでもない。だからこそ、営業力が競争の源泉になるのはわかるが、だからといって営業部のいいなりになってしまったら、チェック機能がまったく働かない。

真瀬は、自分の決めた取引条件に固執するかも知れないが、それに対して総務部としての見解を主張するのは、いわば倉田に求められた使命だ。このナカノ電子部品という職場で倉田だからこそできる仕事のひとつといっていい。

決裁の仕事を一段落させた倉田が青葉銀行中野支店に村井を訪ねたのは、その日の午後であった。

「この会社と新規取引をすることになりそうなんだけど、どうだろう。登戸支店の取引先のようなんだが」

融資課のカウンターに座った倉田は、単刀直入に切り出した。先方が忙しいことはわかっているから、世間話をするつもりはない。迷惑なだけだ。

「少々お待ちください」

倉田がイーグル精密の概要表を渡すと、村井はカウンターの内側へ引っ込み、数分するとオンラインシステムでアウトプットした銀行内の内部資料をもって戻ってきた。それを見ながら、「そうですねえ……」と、村井は渋面になる。「決済条件はどうされるおつもりですか」

「全額手形」

倉田がこたえると、村井は唸った。

「ちょっとこの会社だと難しいんじゃないですか」

「手形の割引もできないか」

「割引」という言葉は一般には馴染みが浅いのでわかりづらいが、要するに商品やサービスの代金として受け取った手形を、その支払期日前に銀行に買い取ってもらう取引だと思えばいい。そうすることで、期日を待たずして会社は手形を金に換えることができるのである。一方、買い取る以上、銀行にしてみれば確実に期日決済できる手形でないと困る。つまり、手形を割れるかどうかで、相手の信用を測る目安にもなるわけだ。

「金額は？」

「二千万円プラスマージンになると思う」

二千万円は仕入れ値。それに会社の利益を上乗せした額がイーグル精密への売却額となる。

金額をきいて、村井はますます難しい顔になった。

「手形云々という以前に、できれば新規取引は回避されたほうがよろしいんじゃないですか」

「何か情報、あるのか」

銀行内部には、信用調査会社よりもさらに詳細で正確な情報がある。銀行員ではあるが一応、出向者である倉田に対して、それをどこまで開示していいのか、村井も判断に困っている様子を見せた。

「教えてくれないか。取引を止めるにしても、社内で説得しなきゃならん。相手を納得させるだけの材料が必要なんだよ」

「倉田さんだから、いいますけど、登戸支店はこの会社に対して〝回収方針〟を取っています」

声を低くした村井の言葉に、倉田は身構えた。

融資金を回収する方針を取るのは、本格的に事業が悪化し、回復見込みがないという銀行の見立てがあるからである。簡単にいえば、いつ潰れるかわからないから回収するのだ。

「いまこの会社の手形なんかもらったら、三ヶ月後には紙切れになるかも知れませんよ」

村井のアドバイスは、脅しでも何でもない。掛け値なしに、それがイーグル精密という会社に対する評価そのものなのだ。

「真瀬さん。ちょっといいですか」

外出先から戻った真瀬に声をかけたのは、その日の午後三時過ぎのことだった。

「イーグル精密という会社の件なんですが」

汗とタバコの匂いがする上着を脱いで椅子にかけ、真瀬は椅子の背にもたれかかっている。胸ポケットからタバコを出して点火し、最初の一服を吐き出すまで倉田は辛抱強く待った。

「なんだよ」どうでも良さそうに真瀬はいった。

「この会社なんですが、はっきりいって業績に不安があります。新規取引、見合わせるべきではないでしょうか」

倉田がいった途端、「バカいえ」、と真瀬は吐き捨てた。「お前らに何がわかる。どうせ、上っ面だけの調査でそんなこといってるんだろう」

「上っ面じゃありません。二期連続の赤字で、銀行も融資を見合わせているような会社なんですよ、ここは」

「だからなんだっていうんだ」

真瀬は問うた。「ウチは生憎《あいにく》と銀行じゃないんだよ。一般企業だ。あんたはバカにしているかも知れないが、ウチにはウチのやり方がある。銀行がいうように取引してたら、取れる仕事もとれやしないんだ」

「貸し倒れになったらどうするんです」

倉田はいった。「いつ倒産するかわからないような会社なのに、そんなリスクを冒す必要があるんですか」

「リスクがないところには利益もない」

真瀬の反論は立派に聞こえる。「そんなのは商売の基本のキって奴だろう」

「だったら、せめて手形はやめてもらえませんか」

倉田は一歩譲歩していった。「イーグル精密が発行した手形では、銀行は割引すらできないといってるんですよ。業績が悪すぎて回収に懸念があるからです。せめて現金決済にしてもらえませんか。与信は、許容しない方がいい」

「許容するかどうかは、あんたが決めることじゃないだろう」

目に怒りを滲ませて、真瀬は凄みを利かせた口調になる。「あんたの役割は、与信チェックだけだ。やるかどうかを判断するのは、あんたじゃない」

「真瀬さん、二千四百万円、回収できなくなってもいいんですか」

「これだから銀行さんってのは、始末に悪いよ」

真瀬はせせら笑った。「二期連続で赤字だから危ないとかさ、そんなのは銀行的な考え方なんだよ。貸し渋りとか貸し剝がしとか、いろいろ世間で問題になっているのは、そういう考えでしか金が貸せないからじゃないのかよ。ウチみたいな中小企業はさ、とにかく売れるところに商品を塡め込んでくしかないんだ。だいたいイーグル精密はそこそこ業歴のある会社で、いまはこの会社に限らずこの業界は赤字ばっかかなんだよ。いちいち取引を見合わせてたら、こっちが先に潰れちまう」

じっとりとした視線で倉田を睨んだ。何を考えているのか、はたまた裏で何をしているのかさえわからない目だ。

あなた、裏でいったい何をしてるんです。そんな言葉がふいに口をついて出そうになったとき、

「社長にも業績については報告済みなんだよ、残念ながら」

そんな言葉が洩れ出てきて、倉田を動揺させた。まさか社長の持川までも、この取引に賛成するとは思えなかったからだ。

「オレのすることが気に入らないのはわかるけどさ、倉田さん。いい加減、銀行員根性は捨ててくれないと困るのはあんたたちだよ」

「では、この取引条件は社長も承認されたということですか」

「当たり前だろう」

新規先は総務部の与信チェックをするという社内ルールを定めたのは持川だ。それを自ら反故にし、倉田の頭越しに新規取引にゴーサインを出したことになる。

一体、オレはなんのためにこの会社にいるんだろう。

そんな疑問が足元からじわじわと這い上がってくるのを感じながら、「そうですか」、と倉田は肩を落とした。

「だからいったろう、あんたが口を挟む余地はないんだよ。現場を知らないのに、数

字だけ眺めて評論家みたいなことというの、やめてくれないかな」

引き下がるしかない。

営業部の冷ややかな視線に見送られながらすごすごと戻ってきた倉田を、摂子は何か哀れみを込めた目で迎えたが、何もいわなかった。

真瀬とのやりとりは聞こえていたはずだ。

「社長に許可を取って済む話ではないはずです。倉田部長がチェックしないで、こんな決済条件を勝手に受け入れるなんておかしいです。社長に抗議しましょうよ」

摂子がいったが、倉田は嘆息とともに首を横にふった。

持川は、真瀬のことを信用している。一方で、倉田に対しては、依然としてお客さん扱いだ。

真瀬と相談の上で承認した話ならば、いまさら倉田がとやかくいっても仕方がないことに違いない。

「社長には、報告書だけ上げることにするよ」

力なく倉田はいった。「あとどうするかは社長の判断だ」

ナカノ電子部品に出向して一年経ち、馴染むどころか、いまの倉田はますます疎外感にさらされているような気がする。果たしてこれから先、この壁を乗り越えていけるだろうか。少なくともその自信はない。

倉田が書いたイーグル精密に関する「信用報告書」は、その日の夕方、社長の持川に上げられ、一時間もしないうちに閲覧印《えつらん》とともに戻されてきた。一言のコメントもなく。

その報告書の中で倉田は、同社との取引は回避したほうが良いこと、仮に取引するのなら現金にして手形は控えたほうがいいことを、数字の根拠を挙げてリスクを説明していた。

倉田にしてみれば、まさに力作といえる報告書であったが、結局、持川の心にはまるで響かなかったらしい。

「おかしいですよ、こんなの」

摂子はやりきれなさを滲ませた。「一体なんのための与信チェックなんでしょう」

「まったくだな」

苦い敗北感を味わいながら倉田はいった。

「部長、社長に直接話してください」

どうにも収まりのつかない勢いで摂子が訴えたが、倉田は弱々しい笑いを浮かべることしかできなかった。

摂子はしばし倉田を眺め、何かを言おうとして口を噤んだ。それから小さく一礼すると自分のデスクに戻っていく。

部下の信頼を失う瞬間というものがあればまさにこれだな、と倉田は思った。

だが、為す術はない。これこそが、自分の限界なのだと思う。この状況で、これ以上自分にできることがあるとも思えない。

相模ドリルから仕入れた二千万円分のドリルは、週明けにも出荷されるだろう。

いったい真瀬は、相模ドリルとの取引を通じて何をしようとしたのだろうか？

結局、その謎は解き明かされぬまま、この一件は倉田の手の届かないところへ棚上げされてしまったのである。

2

昼間は晴れていたのに午後から雲が増し、倉田が帰る頃にはポツポツと来た。そのまま雨脚を強めるでもなく弱めるでもない、湿度だけが跳ね上がって、いっそう気が滅入る不快な夜になった。陰気な金曜日の夜である。

「なんか、元気ないんじゃないの、パパ」

夏季講習の後、友達と勉強してきたという七菜が一緒に食卓を囲みながら、倉田の表情を窺うように見た。

「まあ、いろいろあってな」

普段、あまり仕事のことを家で話さない倉田だが、このときもそういって重たい吐息を漏らす。

「サラリーマンは大変だねえ」

わかったような口を、七菜はきく。「まあ、そのうちいいことあるよ」

「日本がお前みたいに能天気な奴ばっかりだったらいいよなあ。長生きするぜ」

リビングのソファにいた健太がすかさずからかうと、七菜も負けてはいない。

「そういうお兄ちゃんは、難しい顔して賢人ぶるのやめたほうがいいよ。大したこと考えてないくせに」

「いや、考えてるんだな、これが」

そういうと、健太もキッチンテーブルにやってきた。「オレ、あれから考えたんだけど、どうも解《げ》せないんだよ」

「解せないってなにが」

箸を止めて倉田が尋ねると、健太は眉間に皺《しわ》を寄せ、なぜか声をひそめた。

「防犯カメラに映ってた犯人だよ。夜なのに帽子とサングラスだぜ。たしかに、昼だろうが夜だろうが、飯食うときすらサングラスかけてるイカれた奴はいるだろうよ。でもさ、お前がスマホで撮った写真、顔形はぼんやりしてるけど、帽子もサングラスもなかったじゃん。もしかしたら、奴は防犯カメラのこと、知ってたんじゃないかと思う。最初から、あの日防犯カメラが設置されていることを知っていて、普段かぶらない帽子やサングラスでここに来たんじゃないか。そんな気がするんだ」

「防犯カメラのこと知るって、どうやって？」

七菜が、家族全員の疑問を代弁した。

「考えてみろよ」

健太は声を低くしたまま続ける。「犯人はわざわざピッキングをして家に入ってきて、それでお金だけ盗んでったと思うか？　もし自分が犯人の立場だったら、あるかないかわからない現金のために、わざわざリスクを冒して侵入するとは思えないんだよな。実はお金はそこに偶然あったから盗っただけで、本当の目的は他にあったんじゃないか。そう考えると、この家に忍び込んできた犯人の本当の目的がわかった気がするんだ」

倉田はじっと健太の続きを待った。珪子が目を見開いたまま、膝上のコーヒーカップを強く握りしめている。七菜の膝の上からガスがすり抜けていった。

「盗聴だよ」

健太は一段と声を潜めていった。「盗聴器を仕掛けるのが奴の目的だったかも知れない」

「まさか」

倉田は右手の指を額に当て、頭の中でもやもやしはじめた疑問が言葉になるのを待ってきいた。「じゃあ、この話もあいつに聞かれてるってことか」

七菜が怖そうに首をすくめる。現金の盗難について、警察からは何の連絡もないままだ。

「盗聴器を仕掛けたからって、いつも聞けるとは限らない」

健太は小声でいった。「盗聴器から発信される電波ってそんなに遠くまで届かないんだよ。犯人は全ての会話を聞いているんじゃなくて、ここにきて受信機の周波数に合わせたときだけ聞いてる。そう考えれば何も不思議じゃないよ。奴は、オレたちが防犯カメラを設置する話をどこかで聞いていたんだ」

家族の誰もが言葉を飲み込み、倉田家のリビングに不可解な沈黙が落ちた。

健太とふたり秋葉原へ買い物にいったのは、翌土曜日のことであった。

向かったのは買い物客で賑わう大手の量販店ではなく、駅前に密集する小さな電気店だ。完成品ではなく、電子部品などをバスケットに入れて売っているようなマニアックな店が軒を並べている一角を歩いていくと、やがて無線関係の商品を扱っている大松商店という小さな看板を見つけた。

「ここだ」

昨夜、インターネットで検索して見つけた盗聴機材を安売りしている店である。

ウナギの寝床のような細長い店内に入ると、店番をしていた初老の店主が夕刊から顔を上げたが、立ってくるでもなくそのまま新聞を読み続けている。

店には所狭しと様々な通信機器類が並べられていた。見ていると、かつて倉田が高校生だった頃に友達の間で流行ったアマチュア無線を思い出す。健太が店主のそばへ行って、「盗聴器を発見する機械を探してるんですが」というと、ようやく男は新聞を折り畳んで立ち上がった。

倉田よりも十ほど歳を食った男で、半袖のワイシャツの腹がはちきれんばかりに丸く出っ張っている。

男は奥まったところにある棚の前へ行き、「まあ、このヘンのがそうなんだけど」

といった。見ると、トランシーバーのような形をしたものから、ボールペンタイプまで、いくつかの種類があり、値段も三千円ぐらいのものから十万円近くするものまでばらばらだ。

「どういう目的で使うんですか」

店主がきいた。

「家の中に仕掛けられているかも知れない盗聴器を発見できればいいんだけど」倉田はこたえた。

「どんな種類の盗聴器かわかるかね」

倉田は思わず健太と顔を見合わせた。盗聴に関する知識となると、二人ともまるきり無いに等しかった。

「いや、それは。なんとなく盗聴されてるんじゃないかって思うだけで」

倉田の返事に店主はうなずくと、棚からひとつとって「これなんか、いいんじゃないかな」といって渡した。

驚いたのはその機能ではなく、値段だ。

「高いな」

つぶやいた倉田に、「まあそんなもんだよ。安物だと見落とす場合があるから」と店主はいった。

「そいつはデジタル盗聴発見器でね、ほとんどの盗聴や盗撮なら対応してるよ。それ一台買っておけば一生安心だ」

一生盗聴騒ぎに悩まされてたまるかという言葉を飲み込んだ倉田の横から、健太がきいた。

「どうやって、使うんですか」

店主は実際にやってみせてくれた。

「使い方はいたって簡単。盗聴器を探したい部屋に入ってこのボタンを押す。もし盗聴器が仕掛けられていたら、このスピーカーから音が聞こえてくる。部屋の音だ。つまり犯人が聞いてるのと同じ音ってことになるが」

「盗聴器って、どんなところに隠されてるもんなんですかね」と倉田。

「そうだね」

店主は考えた。「多いのは電話とか、電話線の近くといったところかな。ＤＶＤレコーダーの中なんかに盗撮用のカメラが仕掛けられているケースもある。この機械ならそれも発見できるよ。要するに、電源がとれるところに仕掛けられるケースが多いわけ」

「そういう電波って、どのくらいまで届くんです。何キロも離れていても盗聴できたりするんですか」

「いやいや。せいぜい数百メートルだと思ったほうがいい。その範囲に受信機を持っていって話を盗み聞くのが一般的な手口だね」

昨夜は犯人を見つけることはできなかったが、自宅の周辺に受信に来ているはずだという健太の仮説は、それで裏付けられた。

「どうする、オヤジ？　もっと安いのにしようか」

倉田の財布を心配した健太がきいた。

「いや」

倉田は鞄から札入れを出し、店主が勧めた一台を指さした。「それをもらおう。家族の安全は金には代えられないからな」

「毎度どうも」

店主はしわがれた声でいうと機械を袋に入れてくれた。それからレジの上にあったパンフレットを一枚取って倉田に寄越す。

「詳しい使い方はこれを読んで。当店で作った盗聴器発見マニュアルだ」

「盗聴って、そんなに多いんですか？」

驚いた倉田にいった。

「多いね。みんな気づいていないだけさ。プライバシーを覗くのを無上の喜びとする輩がこの世の中には大勢いるんだな。そいつらにとってはこんなのゲームと同じだ」

思いがけず飛び出したゲームという言葉に倉田はぎくりとした。

「目には目を。盗聴器には盗聴発見器を。はい、これお釣り。毎度あり」

昼間下ろして財布に入っていた何枚かの一万円札が、たちまちのうちに数個のコインに化けた。


リビングにあるローテーブルに、健太は一台の小型ラジオを置いた。

「どうするの、それ」

七菜が不思議そうにきく。

「たまにはラジオで野球中継でも聞こうかと思ってさ」

冗談をいいながらスイッチを入れ、ダイヤルを回して選局した健太は、アナウンサーの実況中継が流れ出したところで、ボリュームを上げた。阪神対ヤクルトの試合だ。もう終盤らしく、ヤクルトが抑えのエースを投入した場面だった。

ＡＭラジオを鳴らすのは、盗聴器の中には音そのものに反応してスイッチが入るタイプがあるからだ。秋葉原からの帰路、電車で読んだ店主のマニュアルによると、これを音声起動発信方式というらしい。音がすると自動的にスイッチが入って盗聴を開始するタイプの機械である。盗聴発見器はそこから発信されている電波をキャッチすることで発見するから、もし、そのタイプの盗聴器ならとりあえず音を出して起動させておく必要がある。

次に健太はオーディオのある壁際のラックへいくと、チューナーのスイッチを入れた。流れ出したのはFM放送だ。ポップスがラジオの中継と重なり、耳障りな不協和音になる。わけがわからないという顔の七菜と珪子が見守る中、健太はスピーカーに耳をつけ、ゆっくりとチューニング・ダイヤルを回し始めた。キュル、キュルという音がスピーカーから洩れる。

「ねえ、なにやってるの」

珪子がきいた。

「FM式の盗聴器なら、ああやって全ての周波数を聞いていくことで発見できるらしい。いろんなタイプの盗聴器があるんだよ」

「あなたって、意外と物知りね」

感心した珪子の脇に、「これよ、これ」といって七菜がマニュアルをひらひらさせる。

「百パーセント理系オンチのパパがそんなこと知ってるわけないじゃん」

倉田に睨まれ、七菜は肩をすくめたが、「つまりオンチが三人だから三百パーセントなんじゃないか」という健太の言葉にぷっと膨《ふく》れた。

「もちろん、除くオレって意味だけど」

反論しようとした七菜を遮って健太は続ける。「ＦＭ式じゃないね。で、いよいよこいつの出番だ」

健太は、秋葉原で大枚をはたいて購入した盗聴発見器を手に取り、アンテナをセットしてスイッチを入れた。パンフによると、ＦＭ式以外の盗聴器、つまりＵＨＦあるいはＶＨＦ方式の電波はその機械じゃないと発見できないらしい。

「最終兵器か」

七菜がいい、ＡＭラジオで、「三振！」とアナウンサーが叫んだのと同時に健太がスイッチを押した。盗聴波のスキャンが始まる。この室内から発信されている盗聴用電波があれば、それを機械がキャッチしてくれるはずだ。

騒がしいラジオが鳴り響く室内で、家族の緊張はいやがうえにも高まった。

「ほんとに、盗聴されてたらどうしよう」

七菜の顔は真剣だ。

「まさか、ねえ。考えすぎじゃない？」

あえて明るくいったつもりの珪子も、その顔は笑っていない。「ところであれ、いくらだったの、あなた？」

「四万九千八百円」と倉田。

「たかっ！」

七菜が驚いたとき、健太が動きを止めた。

その真剣な表情に気づいた珪子と七菜が、言葉を飲み込んだとき、倉田にも、聞こえてきた。

ラジオの音だ。

だがそれはテーブルの小型ラジオから聞こえてきている音ではなかった。健太が手にしている盗聴発見器のスピーカーからこぼれてきている音だ。

室内のどこかから出ている盗聴波を、発見器が傍受《ぼうじゅ》したのである。

「うそ……」

七菜が茫然としてつぶやいた。

険しい顔になった健太が、機械をもったままゆっくりと体を左右に動かし始めた。

それが教えられたやり方だった。そうやって、スピーカーから聞こえてくる音が少しずつ大きくなっていく場所へと移動することで、盗聴器の場所を特定するのである。

健太が立ち止まったのは、テレビの置かれているラックの前だった。テレビの前を左右に行ったり来たりする。

「オヤジ、ちょっといい？」

倉田も手伝い、ラックを手前に出す。今度は、壁との間にできた隙間に機械を入れた。

「この辺だな」

ラックの裏側には、コードやアンテナの配線がからまり、埃《ほこり》が積もっている。

「七菜、ラジオ取ってくれ」

このときばかりは一言の反論もなく、健太の言うことをきいて七菜がテーブルの上の小型ラジオを持ってくる。

みんなが見ている前で健太は盗聴発見器を操作し、たちまち流れ出したノイズにも構わず、ゆっくりとテレビの裏側に沿って這わした。

ノイズにハウリングが混じった。

テレビ台の下。健太の手がその狭い範囲を上下する。今度はテレビやＤＶＤレコーダーのコンセントを抜いた状態で同じことを繰り返し、やがて動きを止めて一点を見つめた。

「見つけたの？」

背後からきいた珪子を、健太は手で制した。振り向いた健太は、人差し指を口の前で立て、床の辺りを指さす。

全員で覗き込む。

テレビの裏側の壁にあるコンセントだった。テレビとＤＶＤレコーダー、それにオーディオの電源をとっているため、二つあるコンセントでは足りず、そのひとつに増設用の三穴コンセントが差してある。プラスチック製の四角いコンセントで、前面と左右、三つの電源がとれるようになっているものだ。

家族全員が、そのありふれた三穴コンセントに注目していた。

「うそっ」

七菜が目を丸くした。「これが盗――」

いいかけ、慌てて自分の口を両手でふさぐ。

盗聴器を抜き取った健太は、それを全員の前に差し出した。

ハウリングを続けていたラジオが止んでいる。電源から抜いたことで電波の発信が止まったのだ。代わりに、なんとも嫌な空気がその場に漂いはじめるのがわかった。

　健太が再び部屋の中を探索しはじめた。

「まだあるの？」

　珪子は不安そうだ。

「わからない」

　健太は最初と同じ様な手順で捜索を進めている。二度目の反応はその直後のことだった。サイドボードの前に立っていた健太が、目で合図を寄越した。倉田も手伝ってサイドボードを動かし、できた壁との隙間を健太は見下ろす。

「七菜、ラジオ取ってくれ」

　先ほどと同じようにそれをかざした倉田の耳に、派手なハウリングが何度も聞こえた。

「これかな？」

　戸惑うような表情を浮かべ、健太が手にしたのは、プラスチック製の小さな箱だ。名刺よりも小振りな大きさで厚みは一センチほど。電話と壁のジャックをつなぐ線上にあった。どこから見ても、ＮＴＴの中継器にしか見えないのだが、健太がかざすラジオはそれに近づけるたび、ハウリングが出る。

健太はそれを一旦外し、さっきの三穴コンセントとともにテーブルに並べた。

「本当にこれが盗聴器なの？」

七菜が信じられないという表情できいた。「どこからみても普通の部品じゃん」

「調べてみよう」

健太は物置から道具箱を持ってくると、細身のドライバーで中継器の裏側にあるネジを外しにかかった。

ぱらりと蓋がテーブルの上に落ち、内部の複雑な電子部品が現れると、全員が言葉を失った。

「間違いないな」

盗聴器の内部を確認した健太は小さな白いカバーをかぶせ、元通りにしてテレビの裏に押し込んだ。

「ちょっとちょっと。また戻してどうすんの、お兄ちゃん」

たちまち七菜が異議を唱える。

「いいんだよ」

と健太はいった。「奴はオレ達がこれに気づいたことをまだ知らない。そいつを逆手に取れるかも知れないだろ」

「そんなことできるの？　盗聴器が見つかったこと、犯人は知ってるんじゃない？」

珪子が盗聴器も感知できないような囁《ささや》き声でいった。「だって、いまの私たちの話だって、筒抜けなんでしょ」

「どっかのくそったれが、いまこの瞬間にオレ達の話を聞いてればね」

万が一聞かれているときのことを考えてか、健太のほうは声を大にしていう。敵意丸出しだ。「だけど、その可能性は低いと思う」

「だって盗聴されてるんでしょう？」

「確かにこの盗聴器は生きてて、こうして電波を発信している。だけど、常に会話を盗み聞かれてるわけじゃない。犯人だって暇じゃない。あんなくそったれでも、一端《いっぱし》の生活してるらしいからな」

くそったれ、のところはかなりのボリュームで、盗聴器がなくても外にいれば聞こえたかも知れない。健太はかなり熱くなっている。が——。

倉田もその意見には同感であった。

いくら偏執狂でも、一日中、倉田家に張り付いているわけではない。健太がいうように、奴にも生活があるはずだ。

「他の部屋も調べてみよう」

ところが、歩き出した健太はリビングの端まで歩いたところで、急に立ち止まった。手の中の盗聴発見器を睨み付けている。

「どうした、健太」

返事の代わりに、怪訝な表情を浮かべて見せた。向きを変えていま発見したばかりの盗聴器のところに戻り、それから再び廊下へのドアがある方へ歩いていく。

そんなことを二度繰り返した。

倉田がそれに気づいたのは、三度目のときだ。

ラジオの音——。

発見器のスピーカーから流れ出てくるその音量が変わる。

ナイター中継の実況が盗聴器を発見した壁際では大きくなり、一歩二歩と離れるにしたがって小さくなるのだが、部屋の反対側あたりでまた大きくなるのだ。

「おいおい、ほんとうか」

倉田は思わず声を出した。

「もう一個あるの?」

七菜が眉根を寄せ、足元にいたガスを抱き上げる。

「らしいね」

真剣な眼差しの健太の手が、ゆっくりと発見器のアンテナを上下させている。それにつれてスピーカーから流れ出てくるラジオの音は微妙に音量を変えた。

「七菜、ラジオ持ってきてくれ」

「オーケイ」

テーブルにあったラジオを摑んだ七菜が、健太にそれをもっていく。

いま健太は壁際のサイドボードの前に立っていた。

「ちょっとその時計にラジオを近づけてみな」

言われるまま七菜がラジオを近づけた途端、派手なハウリング音が聞こえて思わず手を引っ込めた。ハウリングが収まったラジオから再び阪神・ヤクルト戦の中継が流れ出しても、倉田は置き時計から目を離すことができない。

金メッキのアナログ時計だ。オルゴールになっていて、裏のスイッチを押すと『白鳥の湖』の演奏が始まって人形のバレリーナが踊り出す。全体は筒型で、上部に球形のガラスが塡ったものだ。

「嘘でしょ――」

珪子が絶句した。それは珪子の大切な品だったからだ。レザークラフトのイベントで作品が入選したときに同じ教室の誰かから贈られた記念品だ。

健太は眉間に皺を寄せた厳しい表情でオルゴールを持ち上げた。ひっくり返して底部を覗き込む。それからサイドボードの裏側にあるコンセントに差し込んであるコードを抜いて通電を止め、ドライバーを使って蓋を外した。

やはりそこにも、小さなマッチ箱にも満たない黒いボックスが埋め込まれていた。

「さっきと違うタイプだな」

健太はいい、短い吐息を洩らす。「誰だっけ、このオルゴールくれたの」

「何人かでプレゼントしてくれたものなんだけど」

戸惑いながら、珪子はいった。「松原さんや中嶋さん、それに——下村《しもむら》さんも」

倉田はちらりと、珪子の表情を見た。下村民子《たみこ》は、レザークラフトの教室ではリーダー格のひとりなのだが、いつも珪子に嫌がらせをする主婦であった。前から教室にいるのに、腕前で珪子に抜かれたのを快く思っていないらしい。どんなサークルにも有りそうな主婦同士の人間関係だと倉田は思っていたが、この盗聴器を仕掛けたのが下村なら、捨ててはおけない。

「これを贈ってくれた仲間に事情を話して、どういうことなのか聞くしかないな」

倉田がいうと、

「わかった。今度、聞いてみるよ」

ありありとショックを浮かべたまま、珪子は小さく頷くのがやっとであった。

それから発見器を持ったままリビングを出た健太に続いて、家族全員がぞろぞろと移動を始めた。一階の風呂場とトイレを探し、突き当たりにある六畳の和室を探索する。異常無し。

「よかった。お風呂とかにカメラ付きのが隠されてたら私、死んじゃうところだったよ」と七菜が安堵していった。

「惜しかったな。もしそんなのがあれば、見た途端、奴が先に死んだだろうに」と健太が面白くもなさそうにいう。

キッと七菜に睨まれても平気な顔で玄関の下駄箱を探り、さらに階段を上った。倉田、七菜、珪子が続く。倉田がナイターの実況中継を流したままの小型ラジオを持つ係。七菜はガスを胸に抱え、珪子はさっきのオルゴールの件が気になっているに違いなく、虚《うつ》ろな表情でついていくのがやっとという具合だった。

倉田家の二階には三つ部屋がある。健太と七菜のそれぞれの部屋。それに倉田達夫婦が使っている寝室だ。

小一時間ほど入念に探しただろうか。壁や床、天井まで探したが、それ以上の盗聴器はどこにも見つからなかった。そして、探索の締めくくりは、クルマだった。シートやグローブボックスやオーディオまで入念にチェックしたが、そこからは出てこなかった。

倉田はいままで、自分の家庭はありふれた平凡なものだと思っていた。

平凡だけど幸せ。

つましい生活ではあるが、それで充分満足していた。

だが、それは上っ面のことに過ぎなかったのだ。

いつのまにか家族のプライバシーは侵害され、名前も知らない人間に監視されていた。

その事実にいま、家族全員が黙りこくり、重々しい沈黙に耐えている。

倉田は心底、腹が立って仕方がなかった。

こんなバカな話があるだろうか。いったい、オレが何をした？　ただ、真面目に生きてきたはずなのに、その挙げ句に待ち受けていたのがこんな現実だというのか。

珪子は無言で天井を見上げ、そっと両手を合わせている。

信仰が時として魂を救済することを、あえて否定するつもりはない。だが、倉田はいまはっきりとした口調で自らにいった。

神様なんていない、と。

「でもさ、これでオレたちは犯人の一枚上手を行ったことになる」

健太がいった。「犯人はまだオレたちが盗聴器を発見したことを知らないんだ。これでもうオレたちの動きを知られることもない。オレたちは奴の攻撃手段をひとつ奪ったんだ」

たしかにそうかも知れない。

だが、だからといって具体的な計画が思いつくわけでもなかった。結局のところ、犯人の出方を窺うしかない。

そして、その動きは意外に早くあった。


「ごめん、いまどこ？」

すでに帰宅していた倉田のケータイにかかってきた健太の声は、逼迫《ひっぱく》していた。週明けの月曜日、午後八時過ぎのことである。

「もう家だけど、どうかしたか」

「いま駅の駐輪場にいるんだけどさ、自転車《バイク》が無茶苦茶なんだ。車輪がない。サドルも。フレームだけが残ってるけど、ひんまがっちまって……」

「どういうことなんだ、それは」

食事前にビールでも飲もうかと思っていた倉田は、思わず声を大きくした。

「あいつの仕業だ。奴がやりやがったんだ」

電話の向こうで健太が叫ぶ。「悪いけど車で迎えに来てくれないかな。この自転車、持って帰りたいんだ」

健太が大切にしていた自転車だった。

「すぐに行くから待ってろ」

そういって通話を切った倉田に、「どうしたの」、とキッチンから珪子がきいた。リビングでは、七菜がガスを膝に抱えて不安そうな目をこちらに向けている。

「健太の自転車が壊されたらしい」

「うそ」

七菜が目をまん丸に見開いた。「あの、大事にしてるやつ？　なんで？　もしかしてまた――」

「わからない。とにかく行ってくるよ」

「気を付けて。それと――落ち着いて」

珪子が玄関先まで見送りにきて、いった。

車庫へ降り、パンクだけは直したものの、キズはそのままになっているクルマで駅に向かった倉田は、駐輪場の入り口近くのベンチに掛けている健太を見つけた。

「おい、健太」

声を掛けると、虚ろな顔が上がった。その足元に、変わり果てた自転車があるのを見て、倉田は言葉を失った。健太がバイト代をつぎ込んで買った自慢のマウンテンバイクは、いまとても自転車と呼べるシロモノではなくなっていた。車輪もなく、サドルも見あたらない。スポークはひん曲がり、ハンドルは傾いていた。フレームは傷だらけで、ロゴのほとんどが削り取られていた。

「俺の、バイクが……」

魂が抜け落ちたような表情の健太の唇から声は漏れ、埴輪《はにわ》のような瞳が自転車だったものの残骸に向けられている。

駐輪場出入り口近くの植え込みを探した倉田は、やがて切り刻まれたタイヤを発見して引っ張り出した。あざ笑うがごとくばらばらに切断された防犯チェーンも一緒だ。

「警察に通報するから、ちょっと待ってくれ」

そういった倉田に、「もういいよ」、と健太は言葉を荒げた。「警察は当てにならない」

「この状況を記録してもらうためだ。犯人を捕まえたとき、弁償させる証明になる」

都筑警察署の枚方に電話を入れ、その到着を待つ間、倉田は健太と同じベンチに腰かけた。

「くそったれめ」

健太は静かに毒づいた。「自分の身は自分で守るしかない。これでわかっただろ、オヤジ」

その瞳の中で煮えたぎる不穏な感情に、倉田は反論の言葉を飲み込むしかなかった。

「どうするつもりだ、健太」

「武蔵小杉で、奴を待ち伏せする」

そういうのではないか、という予感はしていた。「止めるなよな、オヤジ。この前は警察のメンツを立てて思い止まったけど、もうこれ以上手を拱《こまね》いてるわけにはいかないから。警察がやらないんなら、オレがこの手でとっつかまえてやる」

「そうか」

怒りの炎を燃やしている健太に、そのとき倉田はいった。「じゃあ、オレも行く」

「はあ？」

健太が啞然とした顔を上げた。「マジで。会社じゃん、明日」

「半休を取る。お前だけでは行かせない。いいな」

倉田はねじ込むようにいって、健太の反論を封じた。

3

その翌日、健太と倉田だけで向かうはずが、犯人の顔を見ているからという理由で一緒に行くと言い張った七菜も加わり、結局、三人で武蔵小杉駅に向かうこととなった。センター南駅から乗り換えも含めて約三十分。三人が到着したのは、通勤ラッシュのピークを迎える前の午前七時前だ。

「我々よりも改札の数の方が多いぞ。どうする？」

倉田がいった。

「改札じゃなくてホームで見張ろうよ。三人で階段の上がり口を見張るってのはどう」

武蔵小杉駅には、東急東横線と目黒線、それにＪＲが乗り入れている。すべての改札を見張るのは三人では無理だが、ホームであれば手分けして見張ることはできるかも知れない。

「たぶん渋谷に出て山手線に乗るはずだから、東横線の上りホームだな」

異論はない。健太の指示にしたがって、倉田がホームの渋谷寄り、健太と七菜が後方の階段付近に陣取り、お互いに必要なときは携帯電話で連絡を取り合うことにした。

午前七時を過ぎてから、乗客の数は目立って増えてくる。それにしても、ホームの端にいて階段を上ってくる乗客に目を凝らすのは容易な作業でなかった。人が多すぎるからだ。一人一人の顔を確認する間もなく、次から次へと人がホームにあふれ出し、電車が揺れるほど体を押し込む。

自宅最寄りのセンター南駅から渋谷に向かう電車の混雑ぶりも相当なものだから、ラッシュには慣れている。だが、その混雑ぶりを、無関係に、しかも客観的に見たのは初めてかも知れないな、と倉田は思った。無数の靴音が折り重なり、不機嫌や抜けきれない疲労を表情や全身に纏《まと》った人たちがホームにあふれ出す。それを次々に見送る内、倉田は奇妙な孤立感に苛《さいな》まれはじめた。これだけの人がいるのに、その誰ひとりとして名前を知らない。どこの誰かも、どんな人でどんな友達をもっているのかも。

ここは名無しさんたちの世界だ。ラッシュアワーで体を密着させ、ときに苛立ち、顔をしかめながら乗り合わせている男や女は、まったくすれ違った人生を生きており、いわば〝ねじれの位置〟にある。一生かかっても名刺を交換したり、お互いに名前を知る機会も無いかも知れない。いや、たぶん無いだろう。

ここには、かつて村社会に存在した絆など存在しない。あるのは殺伐とした都会の常識だけである。当たり前のことだが、この名無しさんたちの頭の中でどんなことが考えられているのか、想像もつかない。

それぞれの個性や趣味。異なるベクトルの中で有象無象《うぞうむぞう》の嗜好が無言のまま渦巻く様は、ちょっと不気味だ。倉田が社会人になった三十年前にも、当然のことながらラッシュはあった。だが、人の価値観が似通っていた三十年前と、人の数だけ価値観が存在する今とでは、人々の集団が意味するものは百八十度違う気がする。

携帯電話が鳴りだした。

「オヤジ、どう？」

健太だ。電話の声には、新たに入ってきた電車のブレーキ音が被さっている。

「どうもこうもない。こいつは無理だぞ、健太！」

倉田は人の流れに視線を向けたまま送話口にがなった。

「もうちょい、待ってみようよ」

電話から流れてきた声は予想外に冷静だった。「この時間帯に奴が来る可能性は少ないと思う。たぶん九時過ぎなんじゃないかな」

「なんでそう思う？」

「いま電車に乗ってるのは、たぶん九時頃に会社が始まるサラリーマンでしょ。奴が勤める会社にしては少し早い。なんかそんな気がするんだ。根拠はないけどさ」

いわれてみると、そんな気もした。

アパレル関係のショップは十時か十一時の開店だし、フレックスタイムになっている可能性もある。いまや九時の始業は、お堅い会社の代名詞だが、あの男がそんな会社に勤めているとは思えない。

倉田は腕時計を見た。いま七時半。これは体力勝負だ。冷房のないホームの気温はゆうに三十度を超え、今年五十二になる体には相当きつい。

だが、結局この日、午前中一杯粘った倉田たちの前に犯人は現れなかった。

「だめか」

疲れ切り、武蔵小杉駅前にあるホテルのラウンジに駆け込んだのがちょうど正午。出されたグラスの水が体に沁《し》みた。

「もしかしたら、毎日会社に行くような仕事じゃないかも知れない」健太がいう。

「あるいは、見逃したか」

全員をチェックしたという自信にはほど遠い倉田はいった。

「それはあるかも。あたしも自信ない。そもそも洩れなく顔を見分けるなんて無理なんだ。それはよくわかった」

七菜は疲れた顔でいい、窓の外で弾けている真夏の光に目を細めた。三人とも汗にまみれ、薄汚れ、ついでに草臥《くたび》れ果てていた。ひからびた体にホテルのクーラーが死ぬほど心地いい。

だが、次第に落ち着いてくると、この日の行動について考え直す余裕が出てきた。

武蔵小杉が犯人の最寄り駅というわけではないかも知れない、と思ったのもこのときだった。さっき、ホームの渋谷寄りに立って気づいたことだが、そこから隣の新丸子駅が見えた。それだけ近い場所にあるのだから、武蔵小杉駅ではなく、奴にとって本当の最寄りは新丸子駅だった可能性もある。

「まあ、今日だけで終わるつもりもないけど」

同様に考えを巡らせていたらしい健太がいった。

「まだやるつもりか」

あきれた倉田に、健太は、当然だといわんばかりの顔でうなずきパスタを口に放り込む。

「私はやめとく。なんか自信なくなってきた」

こちらはサンドウィッチを頬張りながら七菜。倉田は少し考え、「これなら代々木駅のホームで待ち伏せした方がいいかも知れないな」といった。

「いや、こっちのほうが確実だよ」

健太が反論する。「確かに、オヤジが犯人と初めて接触したのは代々木駅のホームだったかも知れないけど、それは偶然通りがかっただけかも知れないだろ。いつもその駅を利用しているという証拠はどこにもないからね。でも、この駅なら犯人が利用する確率は高いと思うんだ」

「住所によっては、隣の新丸子か、元住吉のほうを利用しているかも知れないぞ。東急線を利用していることが間違いないのなら、渋谷駅で待っていたほうが確実かもな」

東急東横線の一日の利用客が果たして何人いるのだろうかと考えながら倉田はいった。いずれにせよ、とてつもない数の名無しさんの面通しをする羽目になることだけは間違いない。

「なあ、七菜。お前はどう――」

声をかけようとして、七菜の異変に気づいた。

「いま、通った」

突然、七菜がいった。視線が窓の外に釘付けになっている。

「いまの、防犯カメラの男と同じシャツだった。サングラス掛けてショルダーバッグも——」

その指先からサンドウィッチがこぼれ落ち、慌てて立ち上がろうとする。

「俺がいく」

いち早く立ち上がったのは、健太だ。「どっちいった？」

「あっち！」指で通りの左側を指す。

「七菜、ここにいろ」

倉田も、健太の後についてラウンジを慌てて飛び出した。何事かという顔のホテル従業員に見送られながらエントランスから飛び出すと、真夏の直射日光が容赦なく照りつける駅前通りに飛びだした。

倉田の視界の先にショルダーバッグを抱えた男の姿が見えた。足早に向こうの角を曲がっていくところだ。

たしかに防犯カメラに映っていたのと同じシャツに見える。

猛然と、健太が走り出した。倉田もそれに続くが、いかんせん日頃の運動不足がたたって、健太との距離はどんどん離れていく。道路脇を市バスがもうもうと煙を上げて通り過ぎていき、エンジンの音が耳を塞《ふさ》いだ。溢《あふ》れ出した汗が背中にシャツを張り付かせ、背後の高架を電車が通過していく。

改札方向へ向かう階段まできたとき、ちょうどJR側駅入り口から乗客が出てくるところだった。真っ白いシャツと陽に焼けた顔の高校生の一団が倉田の視界をふさいでいる。三十メートルほど先を行く健太がその学生たちを避けながら階段を駆け上がっていくのがかろうじて見えた。

男は改札へ向かったはずだ。

だが、やがて倉田が目にしたのは、改札前のコンコースに立ち尽くしている健太の姿だった。

「あいつは？」

息を切らせながら聞いた倉田に、健太が向けてきたのは、なんとも割り切れない表情であった。

「それが、見失っちまったらしいんだ。階段、上ったと思ったんだけどな」

倉田は、背後を振り向いた。さっき追い抜いてきた高校生たちの一団が賑やかに、脇を通り過ぎていく。

「オレも、こっちに上がってきたように見えたんだが」

「そうだよね」

健太は、どうにも納得のできない表情で階段を見つめる。「もしかすると、途中で気が変わって、階段を下りたのかも知れない」

あのスピードであれば、追いついたはずだ。

「すれ違ったのに気づかなかったのか」

健太は首を傾げた。

「オレも、てっきり改札に上がったもんだと思い込んでたからさ。あるいは、オレに追われてるのに気づいて、逃げたか」

コンコースからは反対側の階段を駆け下りることもできるし、改札を通り抜けてしまえば人混みに紛れて健太を振り切ることもできただろう。

「走って改札を抜けたんじゃないか」

「いや、それはない。それなら、さすがに見えたはずだから」

健太は断言したが、確実とはいいかねる。

コンコースから、整列乗車の客で一杯になっているホームが見えた。この中に紛れてしまえば探し出すのも、追跡も難しい。

いま、新たな電車が渋谷方向に向けて出ていくのが見えた。

中途半端な気分でそれを見送ると、作戦は釈然としないままその終焉《しゅうえん》を迎えたのであった。

4

一旦ホテルのラウンジに戻り、七菜とともに精算を済ませた倉田は、食事もそこそこに会社へと向かった。ランチは食べ損ねたが、かといって食欲があるわけでもない。夏の暑さにやられたというより、駅の人いきれにやられた。方向性の定まらない無数の意思や感情の中にいると、人の感性は磁極が狂いだすに違いない。

それにしても、もう少しのところまで追い詰めたというのに、狐につままれた気分だった。果たして、あの男はどこに消えてしまったのだろうか。

倉田の状態を敏感に読みとった摂子は、「大丈夫ですか、部長?」と気遣ってくれ、給湯室からコーヒーを入れてきてくれた。

「悪いな。結局、ダメだった。骨折り損だ」

半休の申し入れをしたのは、この日の朝であった。銀行員時代から含め、倉田が事前の申告なしに休みをとったことはほとんどない。持川には家庭の事情としか報告してないが、事務連絡のために電話を入れた摂子には、詳しいことを話してある。

「それは残念でした」

摂子は続けた。「そのお疲れのところ申し訳ないんですが、ちょっと問題が起きてしまって。来月の資金繰りが狂ってしまったんです」

差し出された資金繰り表を見た倉田は、来月十日までに三千万円ほどの資金不足が出ているのを知って驚いた。

「三千万円も？」

ナカノ電子部品からすれば、決して小さくない金額である。

「三和エレキから入金予定だった売上が入らなくなってしまいまして」

「理由は」

倉田が聞くと、摂子は顔をしかめた。

「請求洩れです、営業の」

また営業か――倉田は嘆息した。相模ドリルの件は、うやむやになってしまったが、真瀬との関係は悪化したまま改善の兆しもない。

「それにしても、三和さんだって、いつもの取引なんだからこっちが忘れてても払ってくれて良さそうなものじゃないか」

「あの会社、そういうところはちゃっかりしてるんですよね。上場企業の割に業績もイマイチですし、そういうことも関係あるのかも知れません。請求がない限りびた一文払わないというスタンスらしいです」

それにしても資金繰りに三千万円の穴を開けたのだ。本来なら係員レベルで済ませる問題ではなく、真瀬から直接、連絡があってしかるべきではないか。

「いつわかった、これ」倉田はきいた。

「昨日の朝、富永《とみなが》さんが来て、三和エレキからの入金、今月の資金繰りに入ってるかどうかきいてきたんです。変なことときくなと思ったんですが、部長が帰られた後に実は請求してなかったと。どうしますか、この三千万円」

倉田は富永のデスクを見た。

「資金手当の前に、営業部からしかるべき説明が必要じゃないか」

それも倉田の社内的地位と関係しているような気がして、倉田は難しい顔になった。舐《な》められてるのだ。

「私もそう思います」

摂子は両手を腰にあてて、うなずいた。

「富永君、ちょっと」

倉田が自席から呼ぶと、フロアの端にいる富永の顔が強張った。

「三和エレキの件、いま聞いたんだけどさ。資金繰りに入ってるんだぞ、その資金」

「申し訳ありません」

富永は素直に謝ってくる。「来月になってしまうと思います。来月、二ヶ月分入りますから、その――」

「そういう問題じゃなくてさ、請求洩れで入金が無いとわかったらすぐに私に報告してくれないと資金繰りが狂ってしまうんだよ。このこと真瀬部長には報告したのか」

倉田は少しきつい口調でいった。

「しました」

「いつ」

「先週の金曜日に」

じっと倉田はデスクで知らんぷりしている真瀬の横顔を眺めた。

「それで、何の指示もでなかったのか」

「はあ……」

すみませんと曖昧に口にした富永に「もういい」といって下がらせた倉田は、ゆっくりと真瀬のところまで歩いていく。

「真瀬さん」

　どこかの会社のパンフレットらしきものを熱心に覗き込んでいた真瀬の顔が上がった。

　返事はない。

　ここのところ何度真瀬とこんな形でやりあったろう。その度にやりこめられたり、裏をかかれたりしたが、今回ばかりは自分に分がある。

「三和エレキの入金遅れ、どうするんです」

「どうするとは」

　真瀬はきいた。

「資金繰りに入ってたんですよ、三千万円」

「知らないよ、そんなこと。勝手にそっちが入れてるだけじゃないか」

　真瀬は突《つ》っ慳貪《けんどん》にいった。

「そういう言い方はないでしょう。何のために売上の入金予定をヒアリングしてると思うんですか。入金額が変更になるのなら変更になるで、ちゃんと知らせてくださいよ。困るじゃないですか」

　倉田は精一杯の怒りを表現してみせたが、真瀬に動ずる気配はない。

「多少、余裕を見るのが当然だろ。三千万円ぐらい」

「三千万円は多少といえる金額じゃありません。ひとつ間違えば大変なことになるんですよ。さっき富永君にもいったんですが、なんで、私に知らせてくれないんです」

「知らせただろ、君の部下に」

　摂子のことだ。その摂子はいま遠くからこのやりとりを観察しているはずだった。たまには、総務部が営業部に勝利するところを見たいと期待に目を輝かせて。だが、絶対に勝てるはずの状況にもかかわらず、倉田はいま目に見えない壁のようなものを感じた。

「富永も、入金してくれるようにギリギリまで交渉していたんだよ。なあ、富永。そうだよな」

　渋りきった顔の富永は、はあ、とうなずいてみせる。

　真瀬と話していると、倉田はいつも、相手の手練手管《てれんてくだ》を感じないわけにいかなかった。話しているうちに善と悪が入れ替わり、気づくと表だと思っていたものが裏にすり替わっている。まるで手品か、目くらましだ。自分が有利だったはずの状況がたちどころに消え失せ、いつのまにか不利な状況へと変貌し、追い詰めたはずが追い詰められる。

「それが昨日だったってことさ。それ以前にどうしろっていうんだ」

「見込みぐらい教えてくださいよ。こっちだって、穴の開いた分、なんとかしなきゃいけないんですから。それに、西沢さんにではなく私に報告してください」

「なんだって」

真瀬は怒ったような顔になった。

「三千万円ですよ。係員同士のやりとりで済ませるような話じゃありません。金額が大きいんだから、真瀬さんから私に話してくれるのがスジじゃないでしょうか」

いつもはやられる一方だが、今日の倉田はかなり怒っていたこともあって、そう簡単に引き下がりはしなかった。

真瀬は付け入る隙を探している目で倉田を見ている。が、そう簡単に「裏」を「表」に変えられるマジックがあるはずはない。

「そんなスジは初めてきいたね」

真瀬はいった。「ここは銀行じゃないんだよ」

いつもの牽制球を真瀬は投げてくる。

「銀行だったら切腹ものですよ、真瀬さん」

営業部長は、ぎらりと目に鈍い光を一閃《いっせん》させ、「なに」といきがる。

「切腹ものだと？　じゃあ聞くが、三千万円ぐらいの金がなんとかならないのか、うちは」

「すり替えないでください」

倉田は真瀬の手には乗らなかった。

「会社の資金繰りは行き当たりばったりでやってるわけじゃない。計画を立ててコントロールしているんです。あなたが勝手に金額の大小を判断していい問題でもない。いいですか、会社の資金繰りというのはね、あなたが考えてるほど〝ザル〟じゃないんですよ」

真瀬が怒りに任せた反論を口にする前に、倉田は「今後、気をつけてくださいよ」という一言を残して踵を返した。

「ナイスです、部長」

戻ると、摂子が小さなガッツポーズをつくった。営業部では、乱暴に上着をひっつかんだ真瀬がフロアを出て行くところだ。

憤然とした後ろ姿を見送った倉田は、今まで越えることの出来なかった一線を越えたという小さな感慨に浸った。あとは、資金繰りに出来た穴をどうするのか考えなければならない。

「手持ちの手形を追加で割り引くしかないな。三千万円分ほど、見繕《みつくろ》ってくれないか」

すぐに摂子が、金庫に保管している手形の中から、五枚ほど選んで持ってきた。金額は三千万円を少し切るが、これだけあれば資金繰りはなんとかできるはずだ。気を利かせ、手形の期日までが比較的短いものばかりなのもいい。割引にかかる利息は、期日まで。つまり期日まで短い手形であれば、差し引かれる利息も少なくて済む。

銀行に電話をかけ、担当の村井の在席を確認した倉田は、お願いします、という摂子の言葉に見送られて会社を後にした。

「倉田さんが資金繰りを間違うなんて珍しいですね」

担当の村井はそういうと、倉田が出した手形の枚数と金額を数え、銀行の処理判を次々に捺していった。緊急の割引依頼だったが、なんとか資金繰りの穴は埋められそうだ。

手続きを進めながら、村井が、「ところで、先日のイーグル精密、どうされました」、と聞いたのはそのときだった。

「実は、そのまま取引することになった。——手形で」

倉田の返事に、思わず村井は手を止める。「まさか。倉田さん、あの会社の業況について報告されなかったんですか」

「した。したんだが、聞き入れてもらえなかった」

「どういうことなんです、それは」

村井は憮然とした。「代金、回収できなくなるかも知れませんよ。倉田さんがついていながら、みすみすそんな取引を見逃してしまうなんて」

見逃したわけではない。だが、村井に社内事情を話したところではじまらない。

その場で処理した手形に伝票をつけて上席の未処理箱に放り込んでくると、村井はデスクに置いてあった手帳を広げた。

「イーグル精密の件、オンラインで数字だけ眺めていてもどうかと思ったんで、登戸支店の担当者に電話して詳しい話を聞いてみたんです」

村井の気遣いに、倉田は、感謝の言葉を口にした。

「ナカノ電子部品さんに損失が出たら、私の業務に差しつかえますから」

村井は熱心な融資マンだ。ナカノ電子部品のことをそこまで考えてくれているのに、その熱意に応えることができなかったことが情けない。

「イーグル精密の社長は江崎《えざき》というんですが、この社長は完全な雇われみたいですね」

「雇われ？」

意外な話に、倉田は思わず聞き返した。

「オーナーは別にいて、その人物が実質会社を切り盛りしているようなんです。江崎社長は、対外的には代表者ですが、実態は単なるお飾りのようなものだそうです」

「なんでそんな面倒なことになってるんだい」

「オーナーに倒産歴があるとか」

倉田は納得した。倒産などの前歴がある人物が社長になっている場合、銀行では口座開設すら断ることがある。まして融資となればなおさらで、そのために第三者を代表者に仕立て、自分は役員にも名を連ねないというケースはたまにある。だが、イーグル精密がそうだとは知らなかった。

「以前、経営していた会社を倒産させてしまったらしいんですが、会社を再興するだけの隠し財産があったということみたいです。イーグル精密はこのオーナーの口利きで半導体関連の大手と取引していたらしいんですが、最近、競合との価格競争に負けて仕事を取られてしまったらしいんですね。それが二期連続の赤字の原因だそうです」

「復活の見込みはあるのかい」

そこが肝心なところだが、

「厳しいみたいですよ」

村井は深刻な表情でいう。「ここ何ヶ月の資金繰りは綱渡り状態だとか。なんとか地元信用金庫の融資を得て生きながらえているような状況で先が見えないと。新規取引なんてとんでもないという話でした」

倉田は驚き呆れて、しばらくは声がでなかった。

そういうことまで承知しながら、真瀬は新規取引を検討し、それを実行に移した。そして、社長の持川までもが、それを承認したのだ。ふたりとも、この暑さで頭がイカれてしまったのではないか。

「まだ遅くありません、倉田さん」

村井はカウンター越しに体を乗り出した。「手形で代金を受け取るのなら、イーグル精密が発行したものではなくて、同社の手持ちの中から、優良企業が発行した手形で支払ってもらうとかすべきです。〝回し〟なら、リスクを回避できるじゃないですか」

村井のいう通りだ。

「早速、営業部に申し入れてみるよ」

「社内的に大変かも知れませんが、踏ん張ってください、倉田さん」

考えてみれば、村井が見てきたナカノ電子部品の出向者は自分ひとりだけではない。村井は、ナカノ電子部品という会社の難しさを知っているに違いない。

「健闘をお祈りしてます」

深々と一礼した倉田は、融資課のカウンターを立って、一階に下る階段を下りていった。

一旦諦めかけた案件に、新たな突破口を見出した気分だ。足早に支店の外に向かいかけた倉田だったが、そのとき、店の隅にあるATMコーナーを見て足を止めた。

そういえば、武蔵小杉駅にもウチの無人ATMコーナーがあったな、と思い出したからだった。

それまで頭を占めていたイーグル精密との取引がさっと退いていき、一瞬のうちに頭は、名無しさんに切り替わる。

武蔵小杉駅で男を追跡していた倉田は、てっきり男が改札への階段を駆け上がったと思っていた。だが、本当はそれとは反対方向へ向かっていたのではないか。なぜならそこには、ATMがあったから——。

「あの男は、ＡＴＭに立ち寄ったのではないか」

一旦根付いた思いつきは、抗いがたい勢いで倉田を虜《とりこ》にしていく。イーグル精密との取引に対する危機感とこの思いつきとが倉田の脳裏でない混ぜになり、なんとも落ち着かない気分になった。

もし、ＡＴＭを利用したのなら、男を特定することは容易だ。ＡＴＭコーナーには防犯カメラがあり、取引記録も残されている。カメラで男を確認し、その男の取引記録を確認することで、男の名前と取引銀行、口座番号などがわかる。そこまでわかれば、男の身元が割れるのは時間の問題だろう。

どん詰まりに思える状況の中でも、探せば何か手掛かりはあるものだ。そんな確信を抱きながら倉田は銀行を出て、会社への帰路を急いだ。

5

倉田が再び営業部のシマへ向かったのは、夕方五時過ぎのことだった。

「ドリル代はイーグル精密の手形でもらうことで話がついてる。あんたの口出しすべき話じゃないんだよ」

帰社していた真瀬は話を聞くと挑むようにいった。昼過ぎにやりあったばかりだから、機嫌は悪い。

「それを、他社の手形に差し替えてもらえませんか。銀行からも、是非そうするべきだというアドバイスをもらってるんですよ」

「銀行は銀行。ウチはウチだ」

真瀬は、聞く耳を持たなかった。「オレたちは銀行のために働いているわけじゃないんでな」

「二千四百万円の手形が不渡りになってもいいんですか」

もし、イーグル精密が手形の期日に決済、つまり支払うことができなければ、「不渡り」となり、代金の回収ができなくなる。不渡りを出した会社が、あとで現金で払ってくれるなどということはまずあり得ないからである。

「だから、そんなことといちいち心配してたら商売にならないっていってるだろ」

「ここは心配しないといけない会社なんですよ、真瀬さん」

辛抱強く倉田はいった。

「あんたは知らないからそんなことをいうんだ」

立ち上がり、上着を小脇に抱えながら真瀬はいった。「いままでだってウチは、それなりのリスクを抱えて商売してきた。あんたが銀行で何を吹き込まれてきたか知らないけどな、オレたちだってそれなりの情報を持って対応してるんだ」

「青葉銀行は、この会社に対してもう融資しないかも知れません。そこまで追い込まれてるんですよ、イーグル精密は」

「お堅い青葉銀行が貸さないのは、いまに始まったことじゃないよな」

そういった真瀬の日焼けした顔は、汗と脂《あぶら》で黒光りしている。その中で怒りを含んだ眼差しが、憎々しげに倉田に向けられていた。

真瀬が入会拒否されたクレジットカードの話を思い出した。それ以来、真瀬が銀行のことを良く思っていないことは容易に想像できる。もしかしたら、いまだに恨みを抱いているのかも知れない。それはどこか、代々木駅で倉田に注意されたことで逆ギレした名無しさんの心情と通底している気がして、倉田はひそかに眉をひそめた。

同時に、クレジットカード会社から拒絶されるほどの個人信用のキズを、なぜ真瀬が負ってしまったのか、その秘密も気になる。

「銀行が考えてるのは自分たちのことだけだろ」

真瀬はいった。「そんなことだから、世の中から嫌われるんだよ。助けようと思えば助けられる会社だって見殺しにするんだからな」

「そんなことはないですよ」

真瀬の決めつけに、倉田はかろうじて反論の言葉を口にしたものの、それ以上何をどういえばいいのかわからなくなって口を噤んだ。

「手形の件は先方と話し合って決めたことだ。総務があれこれ口出しする問題じゃない。いいな」

真瀬は、人差し指を倉田の鼻先に突きつけると、取引先の接待でもあるのか、早々に退社していった。

「銀行嫌い、か。そういう人は一定数存在するけど」

自席にもどった倉田がぽつりと呟くと、「そういう人に共通しているのは、たいてい、過去に銀行とトラブルになってるっていう点です」、と摂子がいった。

「しかも、大半は、自分のほうに責任があるのに、逆恨み」

倉田は苦笑した。

「どっちに責任があるかは、わからないよ。銀行が悪いこともあるし」

「クレジットカードを断られたのは、自分の責任だと思いますけど」

倉田は目を丸くして、摂子を見た。

「なんだ西沢さん、その話、知ってたのか」

「この前の給与振り込みの口座の件で思い出したんです」

摂子は当時のことを回想し、肩をすくめた。

「前任の部長に食ってかかってました」

倉田は、総務部のキャビネットを開け、中から人事ファイルを取り出した。従業員の履歴書から真瀬のものを探し出す。

真瀬は、川崎市内の高校を卒業後、市内の電子部品会社に就職。五年ほど勤めた後、同業他社に転職し、三十歳のときシータ電気という会社に入社、そこで営業担当役員になっている。その会社に七年ほど勤めて退職、三十八歳のときナカノ電子部品に入社していた。

倉田は、デスクのパソコンでシータ電気という会社を検索してみた。

該当する会社はない。

「なあ、西沢さん。シータ電気って会社、知ってる？」

顔を上げた摂子は首を傾げた。

「存じませんが、なにか？」倉田が広げているのが人事ファイルだと摂子もわかっているはずだ。

「以前、真瀬さんがいた会社なんだけどさ。いや、いいんだ」

するると、

「倒産したんじゃないですか」

摂子から意外な返事があった。

「そうなのか？」

「以前、誰かに聞いたことがあります。仲間と会社をやっていて、それがダメになったんで、ウチに来たって」

「なるほど」

ようやく合点がいった。創業メンバーで役員であれば、倒産にともなって真瀬個人もなんらかの負債を負った可能性がある。とはいえ、それはいまから約二十年も前の話だ。倉田の記憶によれば、個人信用情報の事故情報は、十年もすれば消えるはずである。一方のクレジットカードが拒絶されたのは三年前だから、これが原因だとは考えにくい。であれば、真瀬には、他にも多重債務など問題があることになるが、それ以上は、調べようがない。

諦めた倉田が、広げていた人事ファイルを閉じたとき、

「さっきの手形の話なんですが」

摂子が声をかけてきた。「真瀬さん、部長から言われて意地になってる部分がある

と思うんですよ。社長に直接話しちゃったほうがいいんじゃありませんか」

たしかに、摂子のいう通りだ。

「社長は？」

「さっき、外出先から戻られたのを見ましたから、いま社長室にいらっしゃるはずです」

「わかった。行ってくるよ」

再び、倉田は席を立った。


ナカノ電子部品の売上は前期百億円あったが、業績好調なときでも、利益は二億円もあればいいほうで、前年度の利益に至っては数千万円しかなかった。

中小企業なんだからこんなものだといえば、その通りかも知れない。だからこそ、数千万円の損失で赤字転落などということもあり得るのだ。薄利多売の商売で数千万円を稼ぐのは相当の売上努力が必要であり、それを考えれば損失を未然に防いだほうが何十倍も楽なはずであった。

社長室をノックすると、物憂げな返事があった。

「先日、報告させていただいた、イーグル精密の件なんですが」

持川はパソコンのモニタから倉田を一瞥したが、すぐに視線を戻した。デスクの前に立った倉田のところから、メールが表示されているのが見える。持川の視線は、その文面を読んでいた。

「今日、銀行へ行ってきましたが、あそこは本当に危ないようです。いまさら取引をやめろとはいいませんが、代金を手形でもらうなら、他社か優良企業が発行した手形で支払ってもらうよう交渉されたほうがいいんじゃないでしょうか」

「それは、銀行さんの情報が正しければでしょう」

パソコンの画面から目を離した持川は、椅子の背にもたれかかり、ようやく倉田に向き直った。

「直接取引をしている支店からの情報です。銀行の村井さんも心配していましたので」

「直接取引している銀行ならなんでも知っているんですか」

持川は否定的な物言いである。なにをいってるんだ、と反発したいのを倉田はこらえた。直接の取引銀行が、その会社のことを一番良く知っているなんて、当たり前のことなのに。

ところが、

「真瀬君からは全く違う情報が上がっているんですよね」

持川は余裕の表情を浮かべている。

「どんな情報ですか」

「今期はともかく、来期は黒字化すると」

予想外の話に、倉田は目を見開いた。そんなはずはない。黒字化予定の会社に、回収方針を取るなどあり得ないからである。

「黒字になる理由はなんですか」

たずねた倉田に、

「M&Aだそうです」

まったく予想だにしなかった返事があった。

「まさか――」

持川の顔を直視したまま、倉田は絶句した。

M&Aというのは企業買収のことだ。

「話が話ですから、銀行さんはご存知ないでしょう。ああいうのは秘密裏にやるのが常識みたいですからね。真瀬君の情報では、なんでも三和エレキが買収話を持ち込んでいて、合意する見込みとのことでした。その際、三和エレキからの出資金で借金を返済し、さらに三和エレキから取引先が紹介されて業績はV字回復するらしい。野中さんからも、三和エレキが同社を物色しているという話は聞いてましたから、これはまず間違いないでしょう」

「ほんとうですか……？」

信じられない思いで、倉田はきいた。野中というのは、持川が以前から付き合っている金融屋で、いまは新橋でM&Aを専門に手がける会社を経営している男である。小所帯だが、情報だけは持っている。

イーグル精密がどんな技術を有しているか知らないし、たとえ聞いてもそれがいかほどのものか、倉田にはわからなかっただろう。だが、M&Aの話は倉田にとって衝撃で、もしそれが本当なら、たしかに倉田の不安など杞憂に過ぎないことになる。

「私も二期連続赤字の先に手形は良くないと思ったんですが、その話があったんで了承したんです。倉田さん、そういうことはご存知ないようですね。先日の報告書には赤字のことしか書いてありませんでした。情報を制するものビジネスを制すって言葉ご存知ですか」

皮肉まじりに、持川はいった。「イーグル精密が発行した手形でもいいんじゃないですか。この手形はいまに優良銘柄として銀行も評価することになるでしょう」

「M&Aの時期や条件については聞いていらっしゃいますか」

「詳しいことはわかりませんが、来年度中には実現するという話でした」

「そうでしたか」

動揺を隠しきれず、倉田は頭を下げた。「そんなこととは知らず、私の情報不足でした」

「情報不足、ですか」

持川はこれ見よがしのため息を吐き、倉田にとっては苦い一言を口にした。

「あなたは真瀬さんとは合わないみたいですね。この前のチバ電子の伝票もそうですが、揚げ足を取ろうとしているように見えますよ」

「そんなつもりでは……」

倉田は慌てていった。「私の立場から申し上げるべきことを申し上げているだけですので」

「あなたは銀行に長年いらしたわけでしょう」

どこかうんざりした口調で、持川はいった。「もう少し慎重にお願いしますよ、倉田さん。聞いた話を右から左に流すのではなく、あなたなりの検証をしていただけませんか。そんなことで社内を混乱させてどうするんです」

「すみませんでした。銀行の情報でしたので私もつい――」

「あなたは帰るところがあるじゃないですか」

倉田の言い訳を遮り、持川はムチ打つような一言を口にした。「でも、私たちにはこの会社しかないんですよ、この会社しか。そのこと、わかっていただいていますか?」

6

「それで、なんて答えたんだ」

八木通春《やぎみちはる》はいい、気の毒そうに倉田を見た。

人事部勤務の八木とは、同期入社の友人だ。銀行の付き合いは、部署が変わると変わってしまうが、八木とは妙にウマがあって、どちらからともなく連絡を取り合い、酒を飲む間柄である。

この日連絡をしたのは倉田のほうで、事情を話すと「どうだ今日」、と八木から誘ってくれたのは有り難かった。

「どうにも答えようがなかったよ」

倉田は深く嘆息した。サラリーマン生活三十年、もしかしたらいまがもっとも辛いかも知れない。銀行員時代には、いろいろなタイプの上司に仕えてきたが、これほどのことはなかった。

「情報の確認不足といわれればそうなのかも知れない。さすがにへこんだよ」

「だけど、それはお前が謝るスジとも思えないな。そういう話があるならあるで、その営業部長も説明すべきだろうに」

八木はいつも冷静で、判断力には定評のある男だった。面倒見がよく人望もあるから、人事部部長代理として出向関係の調整担当といういまの仕事はまさに適任だ。倉田のような出向者の相談にのったり愚痴を聞いたりするのは、八木の仕事のようなものだ。

「そうは思うけど、ここまでくると、どっちが悪いとか悪くないとかいう問題じゃないんだよ」

倉田は訴えるようにいった。「社長やその営業部長とうまくやらない限り、いまの会社でやっていけない」

「難しいところだな」

八木は認めたものの、「だけど、相手の顔色をみるばかりではうまくいかないんじゃないか」、と意外なことをいった。

「聞こえのいいことばかりいう奴というのは、最後には嫌われる。最初は煙たがられても、芯を通すほうが最終的には相手と理解しあえるんじゃないのか」

「それは相手による」

倉田は嘆息した。「世の中にはな、お前が知っているような常識人ばっかりじゃないんだよ」

そして、この日、八木に連絡を入れることになった本題を倉田は切り出した。

名無しさんの件である。

武蔵小杉支店が管理しているATMの防犯カメラと取引記録を確認できないか――それが倉田の用向きだった。代々木駅での出来事から、その後倉田家が受けた様々なストーカー行為について話すと、八木は、しばらく考え込んだ。

「それは正直、簡単なことじゃないぞ。お前は出向している人間だ。業務上のことならともかく、まったく無関係の顧客データに触れさせるようなものだからな」

「もし、無理なら警察から直接申し入れようと思うが、それでもいいか」

倉田は考えを口にした。倉田の推理を警察に話して銀行に防犯カメラを確認させてもらうように申し入れるのだ。

「正直、それがスジだと思うが、自分の勤めていた銀行に対して警察を介在させるというのもどうかと思って、お前に相談してるんだ。内々に済ませられればそのほうがいいだろう。オレが知りたいのは相手がどこの誰かということだけで、それがわかれば銀行には迷惑はかけない」

「なるほど」

八木は腕組みして、再び考え込む。

「なんとか頼んでみるか」

「申し訳ない」

頭を下げた倉田に、八木はしみじみといった。「早く解決するといいな。そのストーカーも、会社の問題も。雌伏《しふく》のときだ、倉田」

まったくだ。すぐに武蔵小杉支店に電話をした倉田は、午後七時のアポを入れた。

青葉銀行武蔵小杉支店は、駅にほど近い道路沿いにあった。

古びた鉄筋コンクリートの建物で、裏手にこぢんまりとした駐車場を併設している。ちょうどお盆の真っ盛りで世の中は休日だ。持川社長の方針でナカノ電子部品は会社単位での夏休みを設けていないが、こんな時期にどこへいっても観光客で一杯だから、むしろ自由に夏休みを取れるほうが倉田には有り難い。ついでに、商売の閑散期になるこの時期故、この日の倉田の目的にはまさに好都合であった。

裏口のインターホンを鳴らして来意を告げると、すぐに三十代の男が出てきた。八木から訪ねろといわれた、為替係の係長、丹下《たんげ》だった。もちろん、支店長にも話は通っているはずだ。

「お話は承っております。すぐにご覧になりますか」

「ええ、お願いします」

丹下と並んで店から出た。

徒歩数分のところにある駅の階段を上がり、コンコースをしばらく歩いてまた下る。武蔵小杉支店の無人のATMコーナーは、ちょうど駅の反対側に設置されていた。

ATMの脇にある鉄製ドアを解錠《かいじょう》して裏側へと入る。小さな作業スペースだ。メンテナンスの道具や予備品などが置かれた棚に、防犯ビデオのデッキとモニタが設置されていた。

「八月の十三日でしたね」

閲覧したい日付は申し入れてある。

再生用デッキのスイッチを入れた丹下は、「何時頃ですか」、と聞いた。

「十二時二十分頃だったと思います」

「でしたら、念のため九時ぐらいから再生すれば間違いないですか」

再生ボタンを押してカメラの映像をモニタに映した丹下は、右下の時刻表示を見ながらビデオを先送りする。映っているのは、ＡＴＭコーナーの映像だ。平日の午前中、しかもまだ早い時間とあって空いているだろうと思った倉田だったが、モニタには五人ほどの客待ちの列が映し出されていた。

「この日は二台あるＡＴＭの内、一台が調整中だったもんで」

「なるほど」

モニタから目を離さないまま、倉田は頷いた。

時刻表示が十二時十五分を回り、ついに二十分を過ぎると、暑さと緊張で喉が渇いてくる。倉田は、モニタを見ながらハンカチで額の汗を拭った。二十分から三十分過ぎまでに、入ってきた客は七人だ。

しかし、その中にあの男の姿はなかった。

「いませんね」

倉田はため息まじりにいった。

「時間は間違いないですか」

「ええ。その前にホテルのレストランで時計を見ましたから。十二時十分でした。そのとき、外を通りかかる男を見つけて追跡したので――」

「もう少し続きを見てみましょう」

親切な丹下の申し出で、さらに十分ほど先まで――十二時四十分まで見続けたとき、

「ありがとうございました」と、ついに諦めて倉田のほうからいった。

「ダメですか」

丹下も少し残念そうにいう。

「はい。てっきりATMに向かったと思ったんですが、どうやら私の勘違いだったようです」

今夜、あの男の身元が割れるかも知れない――その期待は泡と消えた。

丹下に丁重に礼を言ってその場で別れた倉田は、一旦駅へと向かいかけて立ち止まった。

この近くに、あの男が住んでいることだけは間違いない。いったい、あの男はどんな街で日々を過ごしているのだろうか？

胸に浮かんだ思いに倉田は道路の向こうに広がる住宅街に視線を向け、しばらく眺

めていたが、やがてそちらに向かって歩き出した。

駅前通りを渡り、東急線の高架下をくぐり、さらに綱島街道を横切って南へ歩いてみる。マンションと低層の建物が雑多に入り混じる街並みはどこか雑然として、いかにも気取らない川崎の下町という雰囲気に満ちている。

大通りから一本中へ入ると、マンションが建ち並んでいた。築年数を想像し、まだ新しいからローンは半分以上残っているだろうなどと考えてしまうのは、銀行員時代からの抜け切らない習性だ。

あの男は、食事をしてから帰るとタクシー運転手にいった。目撃した駅への出入り口が最寄りなら、おそらく住んでいるのはこの界隈の可能性は高いが、もちろん都合よく男を見かけるような幸運が起きるとは思っていない。

街灯に照らされた街を歩いていると次第に心細くなり、建物を壊したばかりなのか駐車場にもなっていない更地の横を通りかかったとき、ぽつりと頬に当たるものがあった。

雨だ。

指先で雨粒を拭い、それが合図であったかのように駅へと戻り始めた途端、倉田の胸に古い記憶が蘇った。

倉田が小学校に上がったばかりの頃だったと思う。

季節は同じ夏だ。夕方から思いがけず雨になって、なにを思ったか、倉田は母を駅まで迎えに行こうと思った。ちょうど母は何かの用事で出掛けていて、夕方戻ってくるといったまま、五時を過ぎてもまだ帰らなかった。

それはたぶん雨に降られて困っているからだと倉田は考えたのだ。きっと駅にいけば母に会える。散歩に連れて行ってもらえると思った犬のタロに「お母さんを迎えに行ってくるだけだから、留守番してろよ」、そう言い残して、子供の足で二十分ほどかかる駅へと向かったのだった。

小学生用の黄色い傘にゴム草履、そして花柄のついた母親の傘を大事に抱え、倉田は出掛けた。

本降りで、すぐに足はずぶ濡れになる。

一人で駅まで行ったのは初めてだった。友達と遊ぶときには歩きか自転車。駅までいくのはたいてい大人に連れられて遠くへ出掛けるときだ。

傘を抱えて歩く倉田は、どこか頑なな表情をしていたと思う。母親を喜ばせてやろうという思いつきだったが、それは倉田にとってかなりの冒険でもあったからだ。

間もなく駅についた。

国鉄の駅である。ラッシュ時ということもあって、電車が到着する度に、大勢の客が吐き出され、改札の前に立っている倉田の脇を通り過ぎていく。傘を二本持っている倉田の意図を見抜いて、微笑みながら通り過ぎていく人もいた。

倉田少年は、改札の前に立って、ひたすら母の姿が現れるのを待っていた。つぶらな目で真っ直ぐに前を見据え、じっと待つ間、最初の「母を喜ばせてやろう」と思ったときのわくわくする気持ちは水が洩れ出していくように目減りしていき、代わりになんともいえない心細さを運んでくる。

そのうち、駅の改札にある時計が六時を回った。

お母さんどうしたのかな。

さらに十分が過ぎ、二十分が過ぎた。さすがにこの頃になると、ひとりぽつねんと待っている倉田は焦り、そして迷った。

家に帰るべきだろうか。でもそうしたら母はきっと傘がなくて困るだろう。背後を振り返ると、まだ明かりは残っているが深く夕暮れの印象を刻んだ町に相変わらずの雨が降り注いでいるのが見える。

倉田は母を待つことにした。

だが、いくら待っても、母は来ない。

お腹が空いて、残してきたタロのことが心配にもなった。

「ぼく、誰を待ってるの？」

背後から声を掛けられたのはその時だ。腰を曲げ、膝に両手をついて倉田を覗き込んでいたのは、まだ若い駅員だった。

「……お母さん」

そういうと、なぜか涙が溢れそうになって、倉田は唇を嚙んだ。

「そうか、お母さんか。なかなか帰ってこないねえ」

どうやら駅員は、切符を切りながら、倉田がずっとそこに立って待ち続けている様を見ていたらしい。

「待っててくれっていわれたの？」

倉田は助けを求めるような目で駅員を見上げた。

「傘、無いと困るから」

「そうか。お名前教えてくれる。お家の人に電話をしてみよう」

倉田は名前と電話番号をいい、「ここにいてね」と言われるまま待った。しばらくして駅員は笑顔を浮かべて戻ってくると、「お母さんがこれから迎えに来てくれるよ」といった。

倉田は頭が混乱した。どうして母親が傘無しで家に帰れたのかわからなかったからだ。もしかしてずぶ濡れで走って帰ってきたのだろうか。

駅舎に案内されて、そこにあった椅子で倉田は待った。足をぶらぶらさせ、駅員のおにいちゃんが差し出したキャンデーを、ためらいながら口に入れる。そのとき、「たいちゃん」という鋭い声に倉田は椅子を降りた。

駅員に案内されてきたらしい母親が、驚いた顔でそこに立っていた。

「何してたの、あんたは！」

だが、出てきたのは倉田を叱責する言葉だった。「だめじゃないの、勝手にこんな遠くまで来て！　ほんとにもう！」

傘をもって母を迎えにきた、とは言えなかった。

悔しさと理不尽さで倉田は泣き出したからだ。ぽろぽろと頬を伝う大粒の涙が足元の床に落ちる。

「お母さんを迎えに来たみたいですよ。傘をもって」

代わりに説明してくれたのは今まで倉田を相手してくれていた駅員だった。

その瞬間、母ははっとした顔で言葉を失い、「そうだったんですか。申し訳ありませんでした。ありがとうございます」と駅員にぺこぺこ頭を下げて詫びと礼を繰り返した。

「いこう。たいちゃん。ありがとうね」

倉田はその母に手を引かれて、べそをかきながら家までの道を歩いて帰ったのだった。

あのときの駅員さんは、生きていればもう七十を超えているだろう。いまの倉田はあのときの駅員よりも、迎えにきた母よりもさらに二回りも歳を重ねて、ここにこうして生きている。遠い昔の記憶を何かの拍子にたぐり寄せながら。その時々の父と母の面影をいまでも大切に心にしまい込みつつ、こうして世の中の片隅で生きている――。

倉田は、駅までの道を急ぎ始めた。

さっきぽつりと来た雨だったが、どうにかもってくれているのは有り難かった。最初にくぐった東急線の高架が眼前に見えている。足早に歩いた倉田は、そのとき脇道から現れた若い男の姿を見て思わず声を上げた。

「おい、健太！」

振り向いた健太が目をまん丸にして倉田を見た。

「オヤジ？　なんで」

「お前こそ」

「バイトが早く終わったからさ、帰る前に寄ってみようと思って。もしかしたら、あいつと会えるかも知れないだろ。オヤジは？」

「オレは、あそこのＡＴＭの防犯カメラを見せてもらいに来た。そのついでに、まあパトロールみたいなもんだ」

「そうだったのか。で、どうだった？」

倉田は、顔を横に振った。

「結局、わからずじまいだ。いったい、あの男はどこに消えちまったんだろうな」

先に立って駅までの道を戻り始めると、少し疲れた顔で健太もついてくる。足が重く、気分は冴《さ》えなかった。きっとこの事件のカタが付くまで、倉田の気持ちが晴れることはないに違いない。

「なんだ、一緒だったの？」

健太と一緒に帰宅すると、珪子がきいた。武蔵小杉で偶然出会った話をすると、「もし、犯人とばったり出会って切りつけられたりしたらどうするの」、と珪子は不安顔になる。

「大丈夫だよ、オレは不死身だから」

健太の言い分に呆れ、

「それで、どうだったの、ＡＴＭは」

と倉田にきいた。

「オレの見込み違いだったらしい」

防犯カメラの話をすると、「そっか」、と珪子もまた落胆の表情を浮かべる。ネクタイを緩め、冷蔵庫から缶ビールを出してきて飲んだ。

「今日は何か変わったこと、なかったか」

念のために聞くと、「私、レザークラフトの教室、やめることにした」という意外な返事があった。

倉田は言葉が出ず、妻の寂しげな表情を見つめた。健太もぽかんとした顔で母親を見ている。

「盗聴器の件、下村さんに聞いたんだ。下村さんじゃなかった、あれ」

倉田は、ただ妻の表情を眺めた。「じゃなかったって――じゃあ、誰があんなことを」

「はっきりしたことがわからないんだ。彼女が言わないから」

この日の教室が終わった後、珪子は下村をお茶に誘い、プレゼントの時計から盗聴器が発見されたことを話すと、下村は驚いた顔で、「私じゃない」と頑なに否定したのだという。

「嘘をついてるかも知れないじゃん」

そうきいた健太に、

「あれは嘘じゃないと思うな」

珪子はやけに真剣な顔になった。「彼女、本当のこといってると思う。そんな気がした」

「でも盗聴器を仕掛けることができたのは下村さんしかいないだろ」

倉田の指摘に、

「あの時計を買ったの、下村さんじゃないんだって。しかも、誰が買ったか、下村さんはいえないっていうんだよ」

不可解な話である。

「なんでいえないんだよ」

健太はいかにも不満そうにいった。「オレたちは盗聴されてたんだぜ。そんなことはどうでもいいってことなのかよ」

「とにかく、いえないの一点張り」

珪子はどこかうんざりした顔で首を横にふる。「しかも、話の途中からは、それまでひた隠してた私への反感丸出しなんだ。教えないのは、それで私が苦しめばいいと思ってるからかも知れないな、あの人は」

珪子は、なすすべもなく首を左右に振った。「なんだかもう疲れちゃって。とにかく、辞めるって先生にも電話で伝えたから。理由を聞かれたけど、レザークラフトの時間にパートの仕事が入ったからといっておいた」

健太が黙りこくり、憤然とした顔で腕組みしている。

「そうか……。残念だったな」

倉田はいった。

珪子が最初にレザークラフトに参加したのは、三年ほど前のことだろうか。確か、健太の中学時代のPTAで知り合った母親から誘ってもらったのがきっかけだったと思う。何回か「お試し」で参加した後、ある日帰宅してみるとリビングの片隅に専用の道具箱があった。

「ねえ、私、レザークラフト始めていいかな」

そういったときの珪子の顔といったらなかった。倉田が反対するのではないかと、ドキドキしているような、まるで前から欲しかったおもちゃをねだる子供のような表情だ。

「ダメっていっても始めるつもりだろ。道具買っちゃってからなに聞いてるの」

ちょっと意地悪していった倉田に、「ありがとう。でもほんと楽しいんだ！」と、珪子は顔を輝かせたのだった。

実をいうと、少し珪子が羨《うらや》ましかった。そんなに楽しめる趣味があるなんて。

それからの三年間、珪子は本当にレザークラフトに熱中していた。本当に好きだったんだと思う。時に熱中しすぎて家事がおろそかになっていると思うこともあったが、倉田は何もいわなかった。やりたいことに熱中できるのは滅多にない幸せなことだとわかっているからだ。そういう趣味を見つけられた珪子は、ラッキーだったと思う。

その趣味を、今日珪子は諦めたのだ。

「他の教室にいってみたらどうだ」

倉田は提案した。「続ける方法は他にもあるんじゃないか」

「ありがと。でもいますぐにはそういうこと考えられないな。もう少し時間をおいて、傷心が癒されたらゆっくりと社会復帰するよ」

「それにしてもさ、こんなことで、ウチは旅行にいけるのかよ」

倉田がひそかに気にしていることを、健太が口にしたのはそのときだった。「留守中になにされてるかわからないぜ」

そうなのだ。倉田家は、八月の下旬に三泊四日で軽井沢へ避暑旅行をする計画になっていた。そのためのペンションも押さえ、すでにお金も振り込んでいる。

「ええっ。行こうよ、軽井沢」

そのとき、二階の部屋から下りてきた七菜が聞きつけ、不満そうにいった。「それだけが楽しみなんだよ。もし行かなかったらさ、それこそあいつの思うツボじゃん」

「それまでに解決して欲しいものだな」

倉田はいったが、妻は沈んだ面持ちのまま無言になる。事件の解決がそう簡単でないことが分かっているからだ。

「あのさ、オレにひとつ提案があるんだけど」

声をひそめ、健太がいった。「犯人を逆に罠にかけてやろうよ。ウチに招き寄せるんだ」

第五章　名無しさんの正体

1

　ほんの少し開けた窓から、生暖かい風が忍び込んできて、倉田の首筋を撫でていった。涼しいという感覚からは程遠い、湿気の固まりのような風だ。

　そして、ここしばらくご無沙汰していた夕立が、この日は再来した。八月二十日だった。この日から来週月曜日まで、倉田は一週間の夏休みをとっている。

　都会の真夏らしい一日だった。日中はうだるような暑さ。空は、青色というより銀色に輝いており、目に見えない猛獣が牙を剝いているかのよう。だけど、そんな空の端っこには確実に積乱雲が誕生し、みるみる大きくなってきたかと思うと、不穏な明滅を雲の中で繰り返しながら、やがて家々の上空を覆い尽くした。

この日、他にすることもなく二階の寝室で昼寝をしていた倉田が最初にきいたのは、激しい雨音だった。それは寝室の窓にも叩きつけられ、全ての音という音を消した。一階にいた健太が慌ただしく階段を駆け上がってきて部屋に逃げ込み、飼い猫になってからというもの七菜の部屋を寝床にしているガスが珍しく倉田のもとへやってきて小さなからだをこすりつけた。

激しい雷雨になった。森林伐採の作業現場並みの雷鳴が立て続き、巨木が倒れるような物音がするたび、振動が窓を震わせた。

ベッドから起き上がった倉田は、レースのカーテン越しに、隣家のベランダに斜めになって打ち付ける激しい雨脚をしばらく眺める。

雨は、地表の埃や汚れだけではなく、倉田の中に降り積もった堆積物《たいせきぶつ》までをも洗い落とし、そこに埋もれたスイッチを入れた。

ブラウン管が明るくなるように浮かび上がってきた記憶の断片の中で、倉田は縁側で両膝を抱えていた。その横にタロがいて倉田と一緒になって見上げている空は真っ黒にかき曇り、稲妻が縦横無尽にかけている。

その記憶の中で雨は、激しく庭先に叩きつけ、ぷんと土の匂いを巻き上げるのだった。

記憶の倉田は少年だった。祖母が亡くなり、働きに出始めた母が帰ってくるまで、いつも倉田はひとりだった。

半ズボンとランニングシャツ。痩せてはいるが真っ黒に日焼けした手足を小さくして、ピカッと光ってから落雷があるまで「いーち、にーい、さーん……」と数えたりしている。

家の中は暗く、背中を向けている和室には、金色にくすんだ仏壇の扉が開いていた。襖の上からは死んでしまった祖母と顔を見たことのない祖父の、どこかむすっとした遺影が倉田の背中を見下ろしている。そこに出してある大きな和机には、やりかけの夏休みの宿題が、読みかけの本とともに放り出してある。

一緒に空を見上げ、怯えるタロを引き寄せ、ピンと立った両耳を小さな手で塞いでやった。

あれから四十年以上の歳月が流れ、父も母も、タロもいなくなって、代わりにこの家族がいる。倉田にとって少年時代の思い出はどこか心細い感覚がまとわりついていた。真面目に働くことだけが取り柄の父と母。贔屓目《ひいき》に見てやっと中流といえるような経済力。窮屈で退屈で、自分がこの地球上のその他大勢のひとりに過ぎないという実感。パニック映画では最初に犠牲になるに違いない非力な役柄。

そこから抜け出したいと思った。成功して実力者になって、世間から一目置かれる。そんな存在になれたらいいなという思いは、頭のどこかには存在していた。だけど、それはまったくのところ極端な妄想に過ぎず、気づいてみれば父親とほとんど変わらぬ平凡な人生を送ってきた自分がいる。

ちゃんと就職して、真面目一辺倒に働く。そこそこ仕事はできるけど、それ以上でも以下でもなく、リーダーに据えるには何かひとつ物足りない性格。堅実で面白みがなく、暴力は反対。「世界人類が平和でありますように」という電信柱の貼り紙に、なんとなくうなずいてしまうキャラクター。妻がいて、一男一女の子供達がいて、家族みんなに愛されてはいるけれど、一方で、「パパなんて」と、ちょっと軽く見られている道化師《どうけし》だ。

記憶のどこを探っても、「パパって凄いんだ」「あなた立派よね」とかいわれたことは皆無。いや、どこかにあるかも知れないが、それはしまい忘れたお宝みたいなものだ。せいぜい、この港北ニュータウンに家を買う抽選で当たったとき、「意外に運がいいのね」と珪子に感心されたぐらいのことは思い出すけれど。

珪子は堅実な妻だ。健太も七菜も、なぜか倉田に似ず、ちょっとはみ出していて元気だ。倉田にしてみれば望外の家族といっていいと思う。だけど、倉田はというと、十年一日がごとく、毎日仕事に行き、ただただ堅実な仕事ぶりで過ごしてきた男なのだ。それがオレだ、と倉田はいま強烈に思った。オレは地味な男なんだと。そういう役柄なんだと。世の中のエキストラなんだと。でも、そのオレがいましていることは、それまでの人生のスジ道からすると、ちょっと違うぞ、ともまたそのとき思ったのだった。

「なあ、オヤジ。ブレーカー、落とさなくていいかな」

ふいに声がして、思いは中断され、倉田を現実へと引き戻す。

健太が不安そうな顔をぶらさげて顔を覗かせていた。

「そうだな。一応、そうしておくか」

倉田はいい、自分で歩いていって一階にあるブレーカーを下げてきた。

「下でビールでも飲もう」

健太がいった。「飲まなきゃ、暑くてやってらんねえよ」

ビールを飲むかどうかは別にして、倉田も一階へ下りていく。

一階の窓という窓は閉められていた。クーラーは付けていない。室外機が動いていたら中に人がいることがわかってしまうからだ。室内にはもわっとした熱気が籠もっている。ピシッ、と空と地表を覆う透明なガラスに罅が入り、裏手に面している窓を白く染め上げたかと思うと、雷鳴が轟いた。缶ビールのプルトップを抜きかけたまま健太が固まり、思わず肩をすくめる。健太の雷嫌いは直りそうにない。

「近いな」

倉田はつぶやいた。

この日、倉田家では、健太が提案した犯人を捕まえる罠を実行に移していた。

その計画とは、犯人が仕掛けた盗聴器を逆手にとっておびき出すというものだ。盗聴器を敢えてそのままにしておき、今日――つまり八月二十日から軽井沢へ旅行へ行くという話を繰り返し、郵便ポストにも新聞配達向けを装って貼り紙までした。

本当の旅行は明日の二十一日から。

無論、相手の男だって都合があるわけだし、倉田家が留守になるからといって、必ずここに現れるとは限らない。もしかしたら、男もまたお盆休みをとって、どこかに遊びにいっているかも知れない。それに、倉田たちが期待した通りに、ニセの旅行日程を名無しさんが盗聴したという保証もなかった。

「無駄になるかも知れないけど、やってみる価値はあるね」

とは、この計画をぶち上げたときの健太の弁。「オヤジも軽井沢に出掛けるまでは、どうせ家でごろごろしてるつもりだったんだろうし」

反論の言葉を倉田はかろうじて飲み込んだ。図星だったからだ。

「オレとオヤジで張り込むから。ママと七菜は、クルマで横浜にいってれば。翌朝、迎えに来てくれたらいいんじゃない」

横浜には珪子の実家があって、両親はまだ健在だ。遊びに来いと誘われていたこともある。いろんな意味で健太の計画は好都合だった。


また稲光が走り、室内の光景と健太の表情を一瞬浮かび上がらせた。この日の朝、健太は、犯人が仕掛けた盗聴器を外し、一階奥の和室の、さらに押入に持って行ってそこに再度仕掛けた。だから、こうしてリビングで話していても、犯人の盗聴にはひっかからない。受信機を耳に当てた犯人は、やっぱりこの家は今日留守だと思うだろう。

この日のために準備も怠りなかった。わざわざ買ってきた木刀と工事用ヘルメット。健太は動きやすいようにジャージをはいて、さらに目立たないように黒のTシャツという念の入れようである。

健太は瞬く間に三百五十ミリリットルの缶ビールを空にし、例によって「もったいないな」と倉田が思う間もなく冷蔵庫から新たな一本を出してきた。

「それぐらいにしておけ、健太。肝心なとき酔っぱらってたら話にならないからな」

「大丈夫さ。この嵐だもん」

そういった途端、腹に響く雷鳴とともに、港北ニュータウンのどこかに雷が落ちた。

カーテンを閉め切った窓越しに、土砂降りの雨粒が地面を叩く音がする。こんな夜に宇宙人が来たら、こんなところには住めやしないと、地球侵略を諦めるに違いない。それなのに、この夜のどこかで、いま倉田の家に行こうかと、本気で考えている人間がいるかも知れないと思うと、微《かす》かな戦慄を覚えた。

「電車が止まってるみたいだな」

スマホで天気予報か何かを観ていた健太がつぶやいた。「野球はドームだけ……」

「雨が止むまで、来ないかもな」

倉田はソファに体を沈め、テーブルに足を伸ばした。

じっとしているだけで汗が滲みだしてくるような室内でそっと目を閉じた。遠く雨の音だけが、倉田の意識の中で降り積もりはじめる。雨が時を刻んでいく。部屋を明るくするほどの稲妻が空を駆け抜け、全ての物音を一瞬のうちに無に帰すかのような雷鳴が轟いたが、それは先ほどと比べるとほんのわずか、遠ざかっているのがわかった。

再び雨音が倉田の聴覚を埋め始めると、倉田の意識を現実から少しずつ引きはがしていった。

そしてどれくらいの時間が、経ったのだろう。

微かな物音で、倉田は目を開けた。

意識は急速な勢いで戻ってきた。スリープしていたコンピュータが再び動き出すかのように。

いつの間にか、雨の音は止んでいた。

L字型のソファの反対側で眠っているらしい健太をつつくと、「聞こえてるよ」という低い返事があった。健太は薄闇の中で目を開け、虚空《こくう》に視線を向けている。その様子は敵の気配を察した用心棒を思わせた。

倉田は立ち上がって、冷蔵庫の脇に立てかけておいた護身用の木刀を握りしめた。

そっと気配を窺った。家の裏手である。路地を隔てて建っている隣家がちょうど背中合わせになっていて、人目に付きにくい。

その路地に、人がいるようだ。

体を固くして、全神経を集中させる。

健太が倉田の肩を指でつついて、勝手口を指さした。薄暗くてよく見えないが、そのとき倉田の耳にも、金属がこすれ合う音が聞こえてきた。

ピッキングだ。

倉田は息を飲んだ。開けられるのか。そこには、ドア本来の鍵のほか、倉田が増強した新たな錠が二つあった。内側から鍵をかけるタイプの錠で、外から開けるのは不可能だ。

奴は内側の鍵のことをまだ知らないのだ。この前自分が忍び込んだままになっていると思いこんでいる。

「オヤジ、表から出て、挟み撃ちにしよう」

健太が、ひょいとヘルメットを投げて寄越した。

二人でリビングを出て玄関に向かい、健太がそっと外へ出て行く。倉田もそれに続くと湿度の高いねっとりとした空気にたちまち包み込まれた。すでに健太は左手に回り込もうとしている。倉田は右だ。建物に沿って歩いた。

家の前に立つ街灯がうっすらと壁に濃淡を付け、雨が掃いていった空に星が瞬いている。そっと庭の前を歩いた。家の中では聞こえた物音は、降り積もる都会の夜の騒音に紛れて聞こえやしない。

　木刀を持つ手に力を込め、建物に沿って右に回り込もうとしたそのとき、唐突な足音とともに黒い影が飛び出してきた。

　危うく、出会い頭にぶつかりそうになった倉田があっと声を上げるのと、人影が裏手に駆け戻っていったのはほぼ同時だった。

　素早い動きだった。木刀を振り回す余裕など欠片もない。

「健太、行ったぞ！」

　影を追いかけながら声をかけた。

　人同士がもみ合う、ただならぬ物音がしたのは一瞬の後であった。建物の裏に回り込んだ倉田が見たものは、隣家との間を走り去るひとつの影であった。

　何が起きたのか、わからなかった。

「健太！」

　隣家の常夜灯が照らす薄暗がりの中、健太の体がエアコンの室外機に寄りかかっている。

「健太！　どうした、健太！」

「くそっ、刺された。——痛えな」

　健太が押さえている左の胸あたりから出血しているのに気づいて、倉田は、頭が真っ白になった。

「悪いオヤジ、救急車、頼むわ」

隣家の常夜灯がかろうじて届いている暗闇で、弱々しくいうと、腕に抱え込んだ健太の体がぶるぶる震えだした。

ズボンの尻ポケットに入っている携帯を取り出して、一一九番にかける。

「ちょっと待ってろよ、いま救急車、来るから。息、できるか、健太。息、できるか」

健太の呼吸が浅いのを見て、倉田は声を掛け続ける。

「なん、とか――」

痛みが激しいのか、健太は顔をしかめる。そうしながら、「警察、呼んでくれ、オヤジ。犯人、逃げちまう」。

「そんなのは後だ!」

脱いだシャツで傷口を押さえた。激しい後悔が込み上げてきた。こんな計画、やめておけばよかったんだ。相手を追い詰めて、結果的に、健太をこんな目に遭わせてしまった。

オレは、バカだ。

オレは、オヤジ失格だ。

「健太、すまん。ほんとに、すまん」

気づいたとき、倉田は、謝罪の言葉を口にしていた。

「オヤジの――せいじゃないって」

健太がいった。胸を押さえている倉田のシャツはすでに血で真っ赤に染まっている。

「いや、オレのせいだ」

倉田はいった。「痛むか。もう少しの我慢だからな」

救急車のサイレンが近づいてくるのを聞いて、倉田はいった。健太の耳にも聞こえているはずだが、いま息子は倉田の腕の中で目を閉じたまま、浅い呼吸を繰り返している。

「健太、健太――！」

倉田は息子の名を呼んだ。

「聞こえてる」

健太がこたえた。「オレ、死ぬのかな」

「死なない！」

倉田は叫んだ。涙が溢れ、健太を見つめる視界が歪んでいく。「死なせるもんか！」

その倉田の声は、一段と大きさを増した救急車のサイレンにかき消された。

2

「刺されたところがあと数センチズレていたら、致命傷になったと思います」

健太が運び込まれた救急病院のドクターの説明に、倉田は息を呑んだ。緊急手術の後に健太が運び込まれた入院病棟の面談室にはいま、倉田と、知らせを聞いて在所から駆けつけてきた珪子と七菜がいた。

珪子は今にも倒れてしまいそうなほど蒼白な表情で、ハンカチを握りしめている。七菜は、ショックのあまり無表情になってドクターとホワイトボードをぼんやりと眺めていた。

「息子は助かるんでしょうか」

縋《すが》るように倉田がきいた。

「感染症などの注意は必要ですが、いまのところ命には別状ありません」

「障害とかが残るとか、そういうことはどうなんでしょう」

いまにも泣き出しそうな声で珪子がきいた。

「筋とかへの損傷は免れていますから、たとえば動かしたときにどこか違和感があるとか、そういうレベルの話なら考えられますが、腕や指が動かなくなるといったことはないでしょう——まあ、運が良かったですよ」

倉田は、足元から魂が抜け出てしまうほどの安堵を感じた。

「すまん。これは、オレの責任だ」

面談室を出、ドクターを見送った倉田は、珪子にいった。返事はない。

「別にあなただけのせいじゃないよ。私だって、この話を聞いたとき止められた」

「まさか、こんなことになるとはな」

倉田が嘆息したとき、見知った男たちが小走りに近づいてきた。都筑警察署の枚方と尾村のふたりだ。

「ちょっと、いいですか、倉田さん」

厳しい表情でいった枚方は、手にしたノートを広げた。

「川崎市内で容疑者らしい男が確保されたとの情報が入ったんで、お知らせしておきますよ」

珪子が目を見開き、口に手を当てた。七菜は青ざめた顔で刑事を凝視している。

「犯人がまだあの付近に潜んでいることを考えて、緊急配備で港北ニュータウン一帯に捜査員を配備したほか、車での逃走ルートになる主要幹線道路を封鎖したんです。さきほど、検問で不審者が発見され、車内から血液の付着した衣類が見つかったようです。健太君の血液型と一致した段階で逮捕に切り替えることになるでしょう」

枚方は一気に説明し、「それで、容体はどうですか」、ときいた。

「刺されたところが急所を外れていまして、何とか助かりました。ただ、回復までには相当の時間がかかると思います」

「いま、健太君と話は出来ますか」

「薬で眠っていますから、本人の話は明日の朝にお願いできませんか」

倉田はこたえた。「私も一緒でしたから、私でお話しできることなら、なんでも」

そういった倉田は、枚方に聞かれるまま、それまでの出来事について語って聞かせる。

「一言知らせていただけたら良かったですね」

枚方が顔をしかめたのは、健太の計画について語ったときだった。

「知らせていたら、張り込みに付き合っていただけましたか」

少し腹が立って、倉田は固い声で反論する。

いままで何もしてくれなかったじゃないか。警察への不信感が胸で膨らみ、ともすれば食ってかかりたいような心境だった。

そのとき、枚方はすっと息を呑み、真正面から倉田を見ると、「力になれず、申し訳ありません」、そう頭を下げた。その背後で目を丸くしてそれを見ていた尾村も、はっと気づいたように、頭を下げた。

「いまさら謝られても」

倉田はやり場のない気持ちをもて余した。「今から出来ることをしてもらう以外に、私がお願いすることはないじゃないですか」

「そうするつもりでおります」

神妙な顔で断言した枚方に、倉田はいった。

「じゃあ、その捕まったのがどんな男なのか、どうしてこんなことをしたのか、わかったことを教えてください。知りたいんだ、私は」

押さえようとしても、体の底から込み上げてくる興奮に、倉田の声は震えている。

「お察しします」

やがて絞り出すように、枚方がこたえる。「進展があれば、倉田さんにお知らせします。取り調べがありますので、すぐに署に戻らなければなりません。明日また参りますが、今夜はこれで失礼します」

深々と頭を下げた枚方はさっと背を向け、病院の長い廊下を去っていった。


枚方と尾村のふたりが再び病院を訪ねてきたのは、翌日昼過ぎのことだ。

「身柄を拘束した容疑者ですが、昨夜、住居侵入及び殺人未遂容疑で逮捕しました」

「殺人未遂……」

その言葉の重みを確認するかのように、倉田は繰り返した。中庭を見下ろすことのできる病院の廊下である。

「事実関係は認めてまして、その供述通り、鴨池公園からナイフが発見されました。殺傷能力のある登山ナイフです。容疑者は田辺覚《さとる》、三十二歳。職業はテレビの構成ライターです」

「構成ライター、ですか」

倉田は怪訝な眼差しを向ける。健太がしているバイトがテレビの構成ライターだ。つまり、容疑者の田辺は、同じ仕事をしていることになる。単なる偶然だろうか。

「田辺は、健太君と同じプロダクションに出入りしていたそうです」

「健太と同じ？」

枚方は、意味ありげに倉田を見た。

「そうです」

よりによってそんな相手と、代々木駅でトラブルになったというのか。偶然にしてはできすぎていないか。

「偶然、ですかね」

倉田はきいてみた。そんなことを刑事に聞くのはおかしいかも知れないと思ったが、気づいたときには疑問が口から出ていた。

だが、枚方はそれには答えず、「確認してもらえませんか」、といった。「田辺が代々木駅で倉田さんがトラブルになった相手かどうか。供述の裏付けを取る必要もありまして」

どんな供述なのかはわからないが、それが捜査の進展に必要なことであればなんであれ協力するつもりだった。

「署までご同行願って、面通ししていただければ」

枚方はいった。「いま来ていただけると、助かるんですが。ちょうど聴取をしている最中だと思いますので。できましたら娘さんもご一緒していただけませんか。以前、目撃された男かどうか確認していただきたいんです。もちろん、お母さんも同行していただいて構いません」

パトカーに先導され、マイカーで都筑警察署に向かった。

取調室で聴取されているという田辺覚を目の当たりにするという事実に、緊張を覚える。同じ気分なのだろう。珪子も七菜も、道中、ほとんど口をきかなかった。

「こちらへお願いします」

枚方に連れられていった部屋からは、取調室の様子が見えるようになっていた。もちろん、取り調べを受けている田辺のほうからは見えない。

立場が、逆転した。

この一ヶ月、マジックミラー越しに倉田家を見ていたのは、この田辺のほうだ。どこの誰とも知れない名無しさんは、匿名性をいいことに倉田家に対して執拗で、陰湿な嫌がらせを繰り返してきた。

だが、その匿名性が崩れたいま、名無しさんは名無しさんではなくなり、自らが覗き見られていることを気にする余裕もなく、そこにいる。

ミラー越しに見た田辺は、長めの髪を真ん中分けした、遊び人風の男であった。認めたくはないが、見ようによっては知的にも見えるかも知れないその面立ちは、いまげっそりとやつれている。倉田の視線は、その顔にワイヤーか何かで結びつけられてしまったかのようになり、ひき剝がすことができなかった。

「どうですか」

枚方が低い声で問い、ようやく倉田はマジックミラーから視線を動かした。「この男で間違いありませんか」

問われ、倉田は、枚方と尾村を交互に見た。

「違います」

「違う？」

発言の真偽を推し量るかのように、枚方が繰り返し問うた。刑事という職業柄か、この男は、相手の言葉を額面通りには受け取らない癖がついているのかも知れない。

「どうですか？」

枚方の問いは、今度は七菜に向けられていた。

七菜はさっきからじっとミラー越しの男を凝視したままだ。

「このひとじゃありません」

七菜も、はっきりとした口調でこたえる。

「ありがとうございました」

枚方は低い声でいうと軽く頭を下げ、どうぞ、と倉田たちを署内の別室に案内した。

他の刑事たちも出入りしている雑然とした部屋だ。静かなさっきの部屋から出た途端、倉田は自分が極度に緊張していたことに気づいた。見れば珪子も顔色が悪く、七菜の手を握りしめている。

部屋の片隅にある応接セットを倉田たちに勧め、枚方は近くのデスクの椅子を引っ張ってきて横に座った。尾村が運んできたコーヒーを倉田たちが口にするのを見ながら、

「正直、混乱されてると思います」

そういった。

「正直なところ、何がなんだかわかりません。一体、どういうことなんですか」

倉田は尋ね、錯綜《さくそう》する事実に筋道の通った解釈を求める。

「ハーツスタジオという会社、ご存知ですか」

枚方がきいた。首を横に振りかけた倉田だが、その横から「あ、知ってます」、といったのは七菜だ。「お兄ちゃんが仕事してるプロダクションです」

以前、撮影のエキストラをやらせてもらったことがあるらしく、七菜は覚えていたらしい。

「そうです」

枚方は、ここからが肝心とばかり前のめりになると、低い位置から上目遣いになる。

「ハーツスタジオは、あの田辺という男が出入りしているプロダクションでもあるんです」

「そこであの男と健太は知り合いだったんですか」倉田はきいた。

「それほど親しくはなかったようですが、たまに顔を合わせていたようです」

釈然としないことばかりだ。救いを求めるような眼差しになった倉田に、「要するにこういうことなんですよ」、と枚方は続ける。

「田辺は、仕事の大部分をハーツスタジオから発注を受けて飯を食っていたんですな。構成ライターとしてそこそこの収入があったようです。ところが、一年ほど前からその仕事が減り始めた。レギュラー番組の構成ライターを降ろされ、仕事が激減したんです。なぜか？　それは、健太君に仕事を取られたからなんですよ。学生ライターである健太君は、学生故にギャラも安いし、仕事も出来た。だから、ハーツスタジオのプロデューサーたちは、それまで田辺に回していた仕事を、こぞって健太君に回すようになったんですな。田辺は、それに嫉妬したんです。それが奴の動機です」

枚方の説明は続く。「田辺は、倉田さんが代々木駅で男とトラブルになり、家までつけられて花壇を荒らされたことを、健太君が知り合いのプロデューサーに話すのを聞いていたそうです。それで今回の犯行を思いついた。その男になりすましてクルマにキズをつけ、さらにパンクさせ、住居に侵入して盗聴器を仕掛けて現金を盗んだ。健太君の自転車に悪戯したのも田辺だそうです」

「それを認めたんですか、あの男は」

「認めています」

枚方が重々しくいった。「健太君に嫉妬して、健太君だけじゃなく、家の人まで困らせてやろうと思ったと」

「じゃあ、花壇を荒らしたり、猫を酷い目に遭わせたことはどうなんですか」

七菜が尋ねた。

「それについては、自分ではないと主張してましてね」

枚方は、刑事らしい底光りする目を倉田に向けた。「いまの面通しで、その供述はある程度裏付けされたと考えていいんじゃないでしょうか。つまり、そのふたつは、倉田さんがトラブルになった別の男がしたことでしょう」

倉田は、いったん膨らませた胸から、大量に息を吐き出して自分を落ち着かせた。いままで、健太の自慢混じりのバイト話を、話半分でしか聞いてこなかった自分に腹が立った。

もちろん健太の話し方も大げさだったとは思うが、何の後ろ盾もない世界で、健太にもそれなりの苦労があり、その上でいまの仕事を勝ち取っていたに違いない。

倉田の知らないところで、健太は戦っていたのだ。

「今後は、殺人未遂の立証が焦点になると思います」

倉田は思念の底から顔を上げた。

「あの田辺という男は、殺したいほど、健太を憎んでいたんでしょうか」

倉田はきいた。

返事があるまで、ほんの僅《わず》かな間が挟まった。

「殺す気はなかったと、田辺は供述しています。ナイフを購入したのは、ただそうしたかっただけで、悪戯半分だったと」

倉田は、刑事の険しい表情をただ見つめた。

「ぜひ、そうであって欲しいです」

倉田は寝不足で血走った目を、刑事に向けた。「息子を本気で殺そうとしたのなら、私は絶対にあの男を許しません」

3

「それにしても、とんだ夏休みでしたね」

休みが明けて出社した倉田が健太の事件のことを話すと、摂子は眉根を寄せていった。

「それで、息子さんの怪我は大丈夫なんですか」

「まあ、なんとか。傷は深いんだが、命には別状がないのだけが幸運だったよ」

夏休みの間、健太の見舞いが倉田の日課になった。昨日——

ちょうど昼寝をしていたらしい健太は、ベッドサイドに立っている倉田を認めると、

「なんだ、来てたのか」、と起き上がろうとして顔をしかめた。

「寝てろよ、無理するな。傷口が開いちまうぞ」

そういった倉田は、悔しそうに横になった息子に、「今回のことはすまなかった」、そう詫びたのであった。

「警察で事情を聞いて、いろんなこと初めて知ったよ。実は、お前がバイトしてる会社の名前も知らなかった。お前のこと何でも知っているつもりでいたけど、実は何も

知らなかったんだよな」

「なにいってんの、いきなり」

　健太は、病室の天井を見上げたまま、唇に笑いを浮かべた。「別に知らなくていいし」

「こんなことになっちまったじゃないか」

　そういった倉田に、

「知ってたからって、防げたとは思えないな」

　健太はこたえた。「別にオヤジのせいじゃない」

「なあ、健太。あの田辺という男のことだけど、警察が話してくれた以外に何かひどいことをしたりしなかったか。もし、そういうことがあれば――」

「やめてくれよ」

　苛立った声で遮った健太は、かなり痛むのか顔をしかめ、その痛みが通り過ぎるのを待った。「世の中に出る以上、誰だっていろんなことと戦ってるはずだろ。職場の人間関係だってそうだよ。でもそれは、自分で解決しなきゃいけない問題なんだ。オヤジだって、そういうの、あるだろ。その戦いに、オレが加勢する余地がある？」

　はっとした倉田の胸に、まっさきに浮かんだのは真瀬であり、持川の顔だった。

「確かに、その通りだな」

健太のベッドに寄りかかっていた体を離し、そのとき倉田は、息子のいう通りだと認めるしかなかった。

「それでストーカー事件は、解決したと考えていいんですか」

摂子に聞かれ、「まあ、完全とはいいかねるが」、と倉田は曖昧にこたえる。

クルマや自転車の被害と現金盗難、そして盗聴器については――珪子のレザークラフト仲間がくれたプレゼントに仕込まれていたものを除いて、解決した。だが、代々木駅でトラブルになった男については未解決のままだからだ。

「だけど、ほぼ終結したといってもいいと思う」

倉田はいった。ガスを郵便受けに投げ込む嫌がらせをして以来、代々木の男はなりをひそめている。このひと月ほど倉田家が悩まされた様々な嫌がらせは、すべて田辺の仕業だ。

「早くすっきりするといいですね」

摂子はいい、「ところで、休み明け早々申し訳ないんですが、これご覧ください」、といってクリアファイルに挟んだものを倉田に差し出した。

「集金してきたのか」

手形だった。額面は、二千四百万円。イーグル精密が発行した約束手形だ。

「朝一番で。どうしますか、部長」

「取り立てに回すしかないな。割引には応じてもらえないから」

諦めて倉田はいった。手形の期日は十一月末日。「三和エレキの資本が入るなら、回収は間違いないだろう。それだけでも良かったよ」

割引はできなくても回収はできる。

その後、三和エレキの傘下に入って財務の安全性が増せば、新規取引先としての魅力も出てくるに違いない。あまり認めたくはないが、そうなれば真瀬の功績だ。

「一番大事なことは、ウチの会社が成長することだ」

倉田はいった。「結局のところ、本件については真瀬さんも私も、会社のためによかれと思うことをしたんだよ。イーグル精密との取引が大きくなって、いずれ会社の屋台骨を支えるようになるかも知れない。ぜひ、そうなってもらいたいもんだな」

「部長がそうおっしゃるのなら、それでいいと思います」

摂子はさっぱりした口調でそういった。「営業とウチとどっちが正しいかなんて、小さなことですから」

「その通りだよ」

しかし――そのまま一件落着かと思った倉田に、青葉銀行の村井が緊急の電話を寄越したのは、翌日のことであった。

「倉田さん、イーグル精密、いよいよ危ないかも知れませんよ」

村井は、電話の向こうで声を潜めた。「登戸支店のイーグル精密の担当者がわざわざ知らせてくれたんですが、ここ何日か、社長がまったくつかまらないらしいんですよ。同業者の間では、いよいよ危ないっていう噂で、信用調査の問い合わせが急増しているとか」

思いがけない村井の話に、倉田は驚いてきいた。

「月末の資金繰りはついてるんだろうか」

そこが問題だった。資金繰りがついていれば、倒産はあり得ない。だが、

「それを確認したくて社長を追っかけてるらしいんですよ」

電話の向こうで村井の声は一段と低くなった。「嫌な予感、しませんか」

倒産の予兆には様々なものがあるが、倉田の経験からすると、社長と突如連絡が取れなくなるのも、そのひとつだ。

受話器を握りしめながら、倉田は中腰になり、営業部の真瀬のデスクを見た。日中ということもあって真瀬は出ており、おそらく帰社は夕方になるだろう。

「オーナーがいたんだったよな」

イーグル精密には、実質的に経営権を握っている人物がいたはずだ。「その人からは何か聞けないのかな」

「関係ないから知らないといっているそうです」

村井はいった。「実際役員でも株主でもありませんから、そういわれてしまえば、それ以上突っ込むわけにも行きません」

「連帯保証は？」

「社長のみだそうです。担保は、会社の土地建物だけで、それ以外にはありません」

村井はそのあたりのことはすでに調べていた。「そんなわけなんで、債権保全、しっかりされたほうがいいと思いますよ」

「なあ、村井君、ここだけの話なんだが」

たまらず、倉田は声をひそめた。「イーグル精密に、買収の話、ないか」

その質問はまるで予想外だったらしく、電話の向こうが静まりかえる。

「いえ、聞いてません」

村井は硬い声でこたえる。「そんな話があるんですか」

「噂だ」

相手が村井でも、三和エレキという具体的な社名は出せないので、倉田はそうこたえた。「いまは業績不振でも、それで助かるという読みなんだが」

「それは、御社営業部からの情報ですか」

「そうなんだ。社長も、出入りのM&A業者からそんな話を仄《ほの》めかされたらしい」

「登戸支店の担当者に確認してみましょうか」

「頼む。それと、この話の出所が私だということは内緒にしてもらえないか。万が一、これでご破算になったとなれば、私の立場がなくなる」

「承知しています。少し時間をください」

村井の電話が切れると、事務の手を止めてこちらを見ている摂子に気づいた。

「イーグル精密ですか」

「ああ、いよいよ危ないんじゃないかと銀行からいってきた。社長がつかまらないらしい」

「話が矛盾してますね」

摂子はいった。「仮に銀行が正しいとして、もしイーグル精密が倒産したら、どのくらいの負債があるんでしょうね」

「どうだろうな」

倉田はいった。「信用調査票の内容からすると、十億円近くあるかも知れないな」

一方で、イーグル精密が所有する資産のほとんどは、おそらく銀行が担保をつけているはずである。法的整理になったとしても、残った資産での配当は、あるかないかの微々たるものに違いない。

それもそうだが、手形をもらって一週間と経たないうちに紙切れになるなんて、元銀行マンとしては恥以外の何物でもない。

「いま、例の買収の件は確かめてもらってるけど、真瀬さんたちの情報が正しいことを祈るしかないよ」

その村井からの折り返しの電話はすぐにかかってきた。

「さっきの買収の件なんですが、そんな話はまったく聞いてないということでした。情報の出所は確かですか」

「おそらくイーグル精密の社長スジだと思うんだが」

「そうですか」

怪訝な間を挟んで、村井はこたえた。「M&Aの場合、実現するまで社内でも秘匿されるケースもありますから、もしかしたらそちらの情報が正しいのかも知れません。その通りなら、今月末の資金繰りは心配いらないことになりますが」

その後に挟まった沈黙からは、情報の真偽に対する村井の疑いが見てとれる。

「こちらも、何かわかったら知らせるよ」

電話を終えたものの、倉田ができることは、真瀬が帰社するのを待って事実関係を確認することしかなかった。

その真瀬が、部下と一緒に外出先から戻ってきたのは、夕方五時過ぎのことである。

「イーグル精密の話ですが、例のM&A、本当に大丈夫ですか。今月末の決済が危ないって噂になってるらしいですよ。社長もつかまらないそうですが、実際どうなんです」

「どうって？」

真瀬はきいた。

「ちょっと状況を確認してもらえませんか。どうも様子が変だと思うんですよ」

「断る」

真瀬はきっぱりといった。「向こうだって忙しいんだ。それになんていうんだい。お宅は今月、大丈夫ですかって聞けとでも？　そんな間抜けなこと聞いたら、社長が気を悪くするだろう。いまああだこうだいわなくても、月末まで待ってりゃいいんだよ」

「それじゃあ遅いんです」

辛抱強く、倉田はいった。「もしかして、買収話が頓挫しているとか、そういうことはありませんか」

「あれば知らせてくれる」

イーグル精密の社長を、真瀬は信じ切っている口調でいった。「あんたは直接知らないでああだこうだというけど、相手は真っ当な人だ。数字だけ見て評論家みたいなことというのはやめてくれないか。気に入らなきゃ、社長にでも泣きついたらどうだ」

真瀬は、とり付く島もなくそういうと、そっぽを向いてしまった。

「ダメですか」

総務のシマまで戻ってくると、その様子を遠くから窺っていた摂子がいった。「社長には一応、報告しておかれるんでしょう」

「そのつもりだけどね」

ため息が出てくる。「また、嫌味のひとつでも言われるかも知れないが」

「黙っているよりマシですよ」

摂子はいった。「用心し過ぎることはありません。このご時世ですからね」

そうこのご時世だ、と頷きながら倉田は思う。

何が起こるかわからない。

誰が正しくて、誰が間違っているのか。それすら、判然としないご時世だ。

だが、倉田が持川に回付したメモは、その翌日、閲覧印ひとつ捺されただけで戻ってきた。

コメントはない。捺印《なついん》されただけの書類を見てみると、自分達だけが騒いでいることの状況がひどく虚しく、バカバカしく思えてくる。

二千四百万円もの手形が不渡りになったら、ナカノ電子部品にとって大いに痛手になるはずだ。なのに、常に最悪の状況を想定して判断するという発想は、真瀬にも持川にもありはしなかった。


何の進展もないまま、月末までの数日はあっというまに過ぎた。

その日、銀行のインターネットバンキングの情報にアクセスしていた摂子が、入金状況を確認して売掛金の消し込みを一段落させたのは午後一時過ぎのことである。デスクに陣取り、ひきも切らずにやってくる取引先営業マンと言葉を交わしては、代金の小切手や手形を渡していた倉田だが、イーグル精密のことはずっと頭の片隅にひっかかっていた。

真瀬は、朝から外出したままだ。

同社の決済が気になり、銀行の村井に電話を入れたのは、午後二時過ぎのことである。

「ああ、私も気になっていました」

村井の声は、どこか殺気立っていた。「いま登戸支店に聞いてみますから、ちょっと待ってもらっていいですか」

「頼む」

月末の融資マンがいかに忙しいかを理解している倉田は、短くこたえただけで受話器を置いた。いま村井が回す融資の実行伝票を心待ちにしている顧客が何社かあるはずで、おそらく倉田が頼んだ仕事は、その後に回されるはずだ。午後三時を過ぎるまで返事はないだろう。ところが、案に反して、それから三十分もしないうちに電話がかかってきた。

「いま、ザンブだそうです」

ザンブ、つまり残高不足の略だ。

「入金の見込みは」

「わかりません」

不穏な気配を村井も感じているのか、その声には切迫した雰囲気がある。

「先方の経理担当は、社長が資金繰りをしているといっているそうですが詳しいことはわからないみたいで。社長とも連絡はつかないいまだそうです」

「もし、何かわかったら教えてくれないか」

電話を切った倉田は、すでに二時半を回っている時計を見、デスクに肘を突いて額の前で両手を握りしめた。

一番確実なのは、誰かがイーグル精密の様子を見に行くことだ。

本来であれば、直接担当している真瀬が行くべきだろうが、真瀬がそうするとは思えない。

もちろん、倉田の経験からいって、ギリギリに入金があって不渡りを免れるという会社も少なくないことはわかっている。

どんな銀行の支店にも、綱渡りのような資金繰りで生き延びている会社は何社かあるはずで、イーグル精密がそうである可能性も否定できなかった。

「西沢さん、二時間ほど出掛けたいんだが、いいか」

ついに倉田は摂子に声をかけた。

忙しさにほつれた髪を指で梳《す》いた摂子は、時計を見上げ、もうこんな時間かと驚いたような顔になる。

「登戸ですか」

さすがに、摂子はわかっていた。

「どうも気になるんだ。自分で見に行ったほうが早いと思う」

「そのほうがいいと思います。こっちはもう大丈夫ですから」

「じゃあ、頼む」

地図をコピーし、イーグル精密の場所と最寄り駅を確かめた倉田は、会社を出ると駅への坂道を足早に下り始めた。

新宿駅で小田急線に乗り換えたときにちょうど午後三時を回り、倉田は手の中のケータイの着信を確認した。何かあれば連絡があるだろうと思ってさっきから握りしめているが、いまのところ連絡はない。

新宿から二十分ほどで到着した登戸駅で下車し、地図を頼りに十五分ほど歩いた。

やがて足を止めたのは、マンションやアパートと商業ビルが渾然一体《こんぜんいったい》となって密集している地域だ。

番地を慎重に見ながら歩いた倉田が、薄汚れた三階建てのビルの前で足を止めたのは間もなくのことだった。会社の前にクルマが三台だけ置ける駐車スペースがあり、そこにクラウンが一台停まっていて男がひとり立っている。玄関へ向かおうとする倉田に、「債権者の方?」、と声をかけてきた。

債権者、という呼び方が倉田を振り向かせた。

「もう誰もいないよ」

男は携帯電話を握りしめたままいうと、「まったく、えらい迷惑だよ」、と吐き捨てる。

まさか――。

倉田は驚愕《きょうがく》して玄関に駆け寄り、ドアに手を掛けた。鍵が閉まっている。ガラス窓越しに、茶色の古びたカウンターが見えた。デスクが並び、奥が応接室になっている一般的な事務所の作りだ。だが、灯りが消えたそこに、社員の姿は見当たらない。

携帯電話を出した倉田がかけたのは、真瀬の番号だ。

「イーグル精密、このままじゃ不渡りですよ。どうするんですか」

電話の向こうが静かになった。

「いまどこにいるんですか、真瀬さん」

倉田はきいた。「イーグル精密に来てみてくださいよ。誰もいない。みんな逃げちゃった後ですよ。もしもし、聞こえてるんですか？」

「本当か、それは」

ようやく返ってきた真瀬の声は強ばっていた。

「真瀬さん、イーグル精密の社長と連絡取ってもらえませんか。どういうことか聞いてくださいよ。M&Aの話はどうなったんです」

「ちょっと待ってくれ」

そういって、電話は一方的に切れた。次にかけたのは青葉銀行の村井だ。

「ダメだ、村井さん。いまイーグル精密に来てるんだけど、誰もいない。決済、どうなってる」

折り返します、という返事とともに、五分ほど待たされた。お互いに腹を探り合うような債権者の視線を気にして待つ五分は、途轍もなく長く、どうしようもなく陰気だ。

かかってきた。

「まだ入金はないそうです」

すでに午後四時を回っていた。他行からの振り込みが期待できる時間ではない。

「念のため、あと三十分ぐらい待ってから、不渡りで戻すそうです」

「入金の可能性は？」

「ほぼ無いでしょう」

村井は感情のこもらない声でこたえる。「社長とは相変わらず連絡つかないままだそうですから」

礼を言って電話を切った。

イーグル精密の不渡りはそれでほぼ確定だった。もはや倉田がそこにいる意味もない。同社に背を向け、駅への道を引き返しながら倉田がかけたのは、社長の持川のケータイである。

「いま、イーグル精密を見てきたんですが」

「またイーグル精密の件ですか」

うんざりしたような声を持川は出した。息苦しいのは、足早に歩いているせいばかりではない。

「本日、不渡りだそうです」

えっ、という短い声とともに、沈黙が続いた。

「会社には誰もいませんよ」

倉田はいった。「社長、三和エレキに買収されるんじゃなかったんですか。あの話はどうなったんです」

持川の返事はない。

「これから戻りますから」

そういって、倉田は携帯を切った。

登戸から中野に戻る間、真瀬からも持川からも連絡はなかった。村井から連絡があったのは、会社への坂道を上っているときだ。

「いま連絡がありました。イーグル精密の手形、不渡りで戻したそうです」

村井がいった。「そちらの債権額はいくらですか」

「二千四百万」

「回収見込みは」

「それは、これから検討することになると思う。また連絡するよ」

会社までの道程がこれほど遠いと感じた日はなかった。

ケータイをズボンのポケットに押し込み、額に流れる汗も気にすることなく、倉田は無言で足を動かし続けた。

4

その夜、午後九時を過ぎても、倉田は会社にいた。

手形代金の二千四百万円のうち、仕入れのドリル代は二千万円。つまり、この部分がナカノ電子部品にとっての純損失になる。

経営環境も厳しく、当期の利益予想を八千万円前後と見積もっているナカノ電子部品にすれば、その四分の一相当がこれで吹き飛ぶ計算だ。

いま倉田は、腕組みをして社長室の天井を見上げたまま、向かいの席で携帯電話を握りしめている真瀬のやりとりを聞いている。

真瀬がかけている相手は、イーグル精密と取引のある会社の営業担当者だ。

手形が紙切れと化したいま、倉田たちがやるべきことは、いかにその損失を小さくするかということに尽きる。だが、それは容易なことではない。

倉田からの連絡でイーグル精密を訪ねたという真瀬は、午後七時前、物凄い形相で戻ってきたかと思ったら、そのまま社長室のある四階に上がってしまった。

今までどんな協議がなされたかわからない。

さっき内線で呼ばれて上がった倉田に、持川が持ち出したのは、手形を他社のものに差し替えてもらうという回収策であった。

だが、不渡りを出した今では、そういうやり方も難しい。

そもそも、不渡りを出すほどまで資金繰りに窮したイーグル精密に、二千万円を超える優良な手持ち手形があるとは思えない。あれば現金化するため、とっくに割引に回しているはずである。いやそれ以前に、そんな交渉をするのなら同社の社長以外にないが、その社長はずっと連絡もつかないままだ。仮に可能だったとしても、後々、破産管財人から否認権を行使されるはずだ。

真瀬が電話を終えると、室内に重苦しい空気が立ちこめた。

「どうでした」

口を開いたのは持川だ。

「先方も社長と連絡がつかなくて困っているそうです。自宅も留守で誰もいないようで」

倉田は嘆息した。

倒産時の経営者にはふた通りある。積極的に債権者の前に出て詫び、誠意を尽くすタイプと、ひたすら逃げるタイプだ。どうやらイーグル精密の社長は後者のようだった。こうなってしまうと、法的整理が決まって弁護士から連絡があるまでどうしようもないだろう。

持川が目で、倉田に救いを求めた。

小さくひとつ首を横に振って、倉田はこたえる。

そのとき――、

「ご迷惑をお掛けして申し訳ございませんでした」

立ち上がって真瀬がいい、持川に頭を下げた。持川の表情がほんの少し動いたかに見えたが、それはすぐに疲労と諦観《ていかん》のうちに飲み込まれていく。

「M&Aの話を信じたばかりに、こんなことになってしまって」

初めてみる真瀬の謝罪だった。

「あんただけじゃないだろ」

持川の返事はため息そのものだ。「買収の話は私も信じた」

それからちらりと倉田を一瞥し、「倉田さんは異議を唱えてはいたが、我々の情報をひっくり返すほどの説得力はなかった」、そう自分たちを正当化してみせる。

持川らしい。つまりは、不可抗力といいたいのかも知れなかったが、耳にした途端、倉田はどうしようもなく自分がしらけていくのがわかった。

イーグル精密については取引を反対し、さらには手形での代金回収に警告も発した。それを真摯に受け止めて自分たちの得た情報の確かさを疑ってみるどころか、持川たちがしたことは、倉田の意見をないがしろにし、嘲笑することではなかったか。

かくして、倉田の不安が現実になってなお、彼らにあるのは自己正当化の甘い考え方であり、倉田への謝罪や思いやりとは無縁であった。結局のところ、どこまでいっても、彼らにとって倉田など評価に値しない存在なのだろう。

ここで議論してみたところで、何の意味もない。かろうじて反論を飲み込んだものの、どうしようもない虚しさだけが募った。

「大変だったね」

午前零時近くに帰宅した倉田を迎え入れた珪子は、そういって労《ねぎら》った。「ご飯は？」

聞かれてから、そういえば食べていなかったことに気づいた。

「簡単でいいよ」

空腹のはずだが、さして食欲はない。冷蔵庫から缶ビールを出してきて飲み、「やれやれだ」、と倉田にしては珍しく愚痴をこぼした。

「倒産って、いつまで経ってもなくならないね」

そんなふうにいった珪子に、「ビジネスだからなあ」、と倉田はいった。

「うまく行く会社もあれば、行き詰まる会社もあるよ」

それでも、今回の不渡りは事前に避けることが出来たという思いがあるだけに、悔しさが滲む。持川の言い草も気にくわなかった。いったい、オレにどうしろというんだ。

倉田がいままでの経緯を簡単に話すと、珪子はそれを黙ってきき、

「でも、真瀬っていう営業部長は、頭を下げたんだね」

といった。

「まあな。でも、オレにじゃない。社長にだ」

そこもまた倉田にはひっかかるところである。「そして社長は、オレの指摘には何の意味も無かったと思ってる」

「経営者として、二流ってこと」

「三流かも知れない」

むしゃくしゃして、倉田にしては珍しく相手を腐した。「でも、一流の経営者なんてめったにいないから、ある意味普通かもな」

それもまた、本音だった。

日本に存在するほとんどの会社は中小企業で、それを経営する社長の多くは、マネジメントをきちんと学んだわけではなく、見よう見まねで経営している。

危機管理にはまったくド素人である持川も、本業の電子部品についてはそれなりの見識があるわけだから、その意味で全否定が妥当だとは思わない。

「でもさ、結局のところ情報や知識の問題じゃなくて、相性なのかもね」

珪子は痛いところを突いてきた。「でも、そうはいっても、今後はあなたのアドバイスが聞き入れられるようになるんじゃない？」

「だといいけど。ところで、健太はどうだった？」

話題を変えると、

「もう少しで退院できるって。順調で、本人は一日でも早く退院したいっていってるけどね」

「退屈だろうからな」

インターネットで病院から注文した本を一日一冊の勢いで読破しているらしい。一方で、事件から一週間以上経ったが警察から新たな連絡はなかった。

今後、刑事事件として裁判にでもなれば、健太も証人として法廷に呼ばれたりするだろう。補償問題もあるだろうし、犯人が逮捕されたからといって、事件とそう簡単に縁が切れるとも思えない。

「なんやかんやで、あっけなく終わっちゃったね、八月」

「そうだな」

落胆まじりの珪子に、倉田もうなずいた。「宿題をやり残した気分だよ」

代々木駅で倉田と接触した男のこと。珪子が贈られた置き時計に隠されていた盗聴器問題――。犯人は逮捕されたものの、それでもまだ解決されないままの宿題も残っている。匿名の犯人にかき回され、いつもとはまるで違う一夏の残骸だ。

「実は、あなたに話さなきゃいけないことがあるんだ」

珪子が切り出したのは、倉田が晩ご飯を食べ終え、お茶を飲んでいるときだった。

「レザークラフトで頂いた時計に仕掛けられた盗聴器のことなんだけど、実は私、心当たりがある」

「もしかして、波戸《はと》さんか」

返事は無い。

倉田はずっと考えていた。珪子が贈られた時計に盗聴器を仕掛け、私生活を覗き見して喜ぶ人間がいるとすれば果たして誰なのか？

波戸清治《せいじ》は、珪子が通っていたレザークラフト教室の講師だった。本業はクリエーターで、どこかの美術大学で教えながら、主婦相手の教室を開いてそこそこに成功している男だ。

「どうしてそう思うの」珪子がきいた。

「以前、どっかのおせっかいな人が波戸さんとのことを教えてくれた」

〝倉田さんって、波戸先生のお気に入りなんですよ〟——正直、そのときは意味がわからなかったが、なぜかずっと頭の片隅にひっかかっていたのだ。いつか教室仲間の食事会があったとき、そのとき、珪子に頼まれてそのうちのひとりを自宅までクルマで送り届けたことがある。片付けがあるからといって珪子はいなかったが、考えてみればそれはそのひとなりのサインだったのかも知れない。

「そうか……。でも、別になにもなかったから」

珪子はいった。「教室の後、何度か食事に誘われて、昼をご一緒したことはあるけれど友達も一緒だった。信じてくれる？」

頭のどこかで記憶のスイッチが入ったのは、「信じるよ」、と倉田が応えたときだった。

その記憶の中で、母は泣いていた。

雨の日、駅まで母を迎えに行った晩のことだ。泣きべそをかいている倉田を母が連れ戻し、しばらくすると帰宅してきた父と母が口論になった。

あなたなんて――。

母が父をなじったとき、母の頬が鳴ったのだった。

「どこへ行っていた!」

父の問いかけに、母は答えなかった。ただ、そのときの母は、倉田が見たこともない、情念のこもった眼差しを父に向けただけだ。

そのとき、父が見せた激情を、倉田は忘れることができない。

夏の防波堤で見せた忍耐強い父、事なかれ主義の父からは想像出来ない姿だった。普段あんなに大人しい父がなぜ怒ったか、なぜ母に暴力をふるったのかこのときの倉田にわかるわけもなく、ただただ恐怖し、怒りと不安に翻弄《ほんろう》され、激しく泣き出した。

そのとき、はっと倉田に向けられた父の目。そこには驚愕に似た感情がはっきりと映し出されていた。倉田がそこにいることに初めて気づき、激情に我を忘れていた自分自身を発見した。そんな表情だった。

父は俯き、そのまま寝室に使っている奥の部屋へ行くと、ぴしゃりと戸を立ててしまった。母は抱き寄せようと伸ばした手をはっと止め、「ごめんね」、一言そういうと台所へ立っていく。

倉田は取り残され、宙ぶらりんのままひとりで泣いた。

ぼくはひとりだ——そう思った。

そして、それから四十年以上も経って、いまふたたび倉田は思う。

人間は、だれだってひとりなのだと。

そして、それぞれの人生を生きている。様々な困難に耐えながら。正しいことさえしていればいつかは報われる——そんな価値観はとっくの昔に時代のハイウェイから放り出され、粉々になってしまったということも。

いま倉田がすべきことは、自分の尊厳を取り戻すことかも知れない。ひとりの人間として、相手に毅然と接することかも知れない。すべては、自分らしく生きるために。

5

イーグル精密のその後について聞いたのは、何事もないまま九月の第二週を迎えた月曜日の午後のことであった。イーグル精密との取引で生じた損失を穴埋めするため、青葉銀行の村井と、新たな借入の相談をしたときだ。

「検討はしてみたんだが、イーグル精密の債権回収はもう無理だ」

融資カウンターで、倉田はいった。「ウチの利益を除いたドリル代の二千万円は、まるまる実損になる。その分も含めて、年内に一億円の融資をお願いできないだろうか」

「ナカノ電子部品さんの業績でしたら、融資額については問題ないと思いますが」

クレジットファイルから顔を上げると、村井は切り出した。「ところで、イーグル精密さんのその後の話、聞いていらっしゃいますか」

「その後の話とは？」

同社の動向については、真瀬から何の話も聞かされていない。

「登戸支店の担当者の情報では、社長と連絡がつかないままなんだそうです。法的整理が宙に浮いてるらしいですよ」

「無責任だな」

憤りを感じて、倉田はいった。破産にせよ、再生するにせよ、債権者に対して謝罪をして、法律に則《のっと》った対処をするのは経営者として当然の務めではないか。

「いま、こういうの多いんですよね。逃げたって、いいこと何もないのに」

村井が顔をしかめた。こういうの、というのは夜逃げなどで姿をくらまし、きちんとした会社整理をしないケースのことだ。

「実質的なオーナーがいたはずだろ。その人にいったほうが早いんじゃないか」

「関係ないの一点張りだそうですよ。役員でもなく、株主でもない。奥さんが大株主で、以前、会社の収益が上がったときには、配当でほとんど吸い上げちゃったみたいですけどね。経営は社長に任せてあったからということらしいです」

倉田は長い吐息を洩らした。

「それじゃあ、結局、配当も期待できないってことか」

会社が倒産すると、会社の資産を売り払って余った資金を債権者で分配することになる。それが配当だ。大概の場合、回収できたとしても債権額の一割やそこらといった程度だが、無いよりはマシである。ところがイーグル精密の場合は、それすら期待できないというわけだ。

この件について、帰社した倉田はメモにして持川に回したが、特に返事らしいものは何もなかった。

持川にとって、イーグル精密の問題はすでに終わったことなのかも知れない。今更、配当狙いで騒いだところで得るものはほとんどないし、新たな商売に精を出したほうがよほど建設的であると考えているフシもある。

それもひとつの経営判断には違いなく、倉田がどうこういう問題ではない。

「イーグル精密の社長、逃げたままで法的整理が宙に浮いてるみたいですよ」

帰社した真瀬に告げたが、帰ってきたのは、「そうですか」、という神妙な顔での一言だけだ。

どうあがいたところでイーグル精密から債権を回収することはもはや不可能で、このまま経理的に「貸倒れ」という敗戦処理で幕を降ろすしかない——はずであった。

倉田が、倉庫担当から回付されてきた、たった一枚の伝票に気づくまでは。

第六章　名も無きひとりの人間として

1

倉田の未決裁箱に、摂子が支払い伝票の束を入れたのは、銀行の村井からイーグル精密のその後について聞いた翌日、つまり九月十日の午後四時過ぎのことであった。

各課から日々総務課に回される伝票は午後三時で一旦締めきられ、摂子のところで勘定科目毎に振り分けてパソコンに入力された後、倉田に回付されることになっている。その伝票と摂子が入力した経費明細のアウトプットを突き合わせ、間違いがないことを確認した上で、承認印を捺すのが総務部長としての倉田の役目だ。

その日、ひと通り伝票を見ていた倉田が、とある伝票のところで手を止めたのは、その明細欄に、「イーグル精密」という社名を見つけたからであった。

配送伝票だ。

起票したのは、配送課。例のドリルの配送だろうことはすぐに理解できた。倉田は、先月すったもんだの末に倉庫に積まれた新品のドリルのことを思い浮かべ、微かに鼻に皺を寄せた。相模ドリルから二千万円で仕入れられたドリルは、この配送によってイーグル精密に販売されていったのだ。

苦々しい思いとともに伝票を決裁箱に入れようとした倉田は、そこに記載された金額を見てふと手を止めた。

十万円近い金額が記載されていたからである。

高すぎないか。

イーグル精密の倉庫は、登戸にあったはずだ。荷物量はわかっているが、中野から登戸まで運ぶのに、こんなにも配送料が高いのかと、疑問に思ったのだ。

「西沢さん」

摂子を呼び、伝票を見せた。「この金額、おかしくないかな」

そういうと、摂子は屈み込んで伝票を確認し、少し考え込む。

「あのドリルだよな、これ。登戸の倉庫までだろ」

「そういわれれば、そうですね。すみません、気づきませんでした」

「配送の明細、わかるかな」

「配送課にありますから、確認してもらいます。ちょっと、お借りしていいですか」

伝票をつまみ上げると、自席に戻って内線で配送課にかけた。

相手は、係長の江口だろう。その場で明細を確認して受話器を置いた摂子が倉田を見たとき、その表情には怪訝なものが浮かんでいた。

「部長、配送先、新潟になってました」

「新潟？」

思わず、倉田は聞き返していた。デスクの抽斗《ひきだし》を開け、イーグル精密の資料を出して探してみるが、新潟に倉庫や工場があるという話はどこにもない。

「ということは、イーグル精密の取引先に直送したってことか」

「であれば部長、その取引先は代金を払う相手が倒産してしまったことになりますよね」

そのとき、摂子が意味ありげにいった。「イーグル精密は、法的整理をしないんですから、破産管財人もいないわけです。交渉の余地はありませんか」

確かに、摂子のいう通りで、倉田は一筋の可能性を感じて、体の芯から力が湧き上がってくるのを感じた。

「その取引先を調べましょう、部長。直接交渉すれば、もしかすると債権回収できるかも知れません」

すぐに出入りの配送業者に電話をかけて用向きを告げた。

「八月十三日の配送先ですか。わかりますよ」

電話に出た配送業者の担当は、いつも集金にくる若い男性社員で、倉田も知っている男だった。

その場で、調べてくれた。

「新潟半導体という会社の長岡工場に配送しているようですね」

「イーグル精密じゃないんですか」驚いて倉田はきいた。

「違いますが。一応、指示通り配送させていただきましたが、まずかったですかね」

「ウチの誰からの指示ですか」

「真瀬部長から承ってるようですね。こちらの控えがそうなってますから」

「真瀬さんが……？」

摂子と顔を見合わせ、新潟半導体担当者の名前を聞いた倉田は、受話器を置いた。

摂子が信用調査会社のサイトにアクセスして、新潟半導体という会社の簡単な信用調査票をアウトプットしてきた。未上場企業だが、売上百七十億円の中堅企業だ。

「真瀬さんは、イーグル精密がこの会社にドリルを転売したことを知っていたってことか」

イーグル精密を素通りしたということは、なんら加工したわけでなく、ただ、ドリルを右から左へ流しただけの商売だったことになる。

「おかしな話ですね」

摂子がいった。「新潟半導体という会社は、相模ドリルのドリルを買うのに、わざわざウチとイーグル精密という二社を間にかませたことになります」

「不可解だな。これ見て」

倉田は、新潟半導体の信用調査票に記載された取引先欄を指で示した。そこに、相模ドリルの名前が載っている。

「つまり、新潟半導体は、相模ドリルと直接の取引があったってことだろ。なんで、そんな余計なことをする必要がある？」

「おそらく、ここであれこれ考えるより、聞いてみたほうが早いでしょうね」

「同感だな」

配送会社に聞いた倉庫の受け取り担当者にかけてみると、運良く、最初の電話で担当者と話すことができた。

「八月十四日の受け入れ分ですね。それが何か」

「ウチの倉庫から御社へドリルを運んでいるんですが、その取引についてちょっと確認したいことがございまして」

「それでしたら、本社の担当にお願いできませんか」

教えられた購買課の加藤という担当者にかけた。

「ナカノ電子部品さん？」

名乗って用向きを告げた倉田に、加藤は怪訝そうな声を出した。直接の取引はないから、不審に思うのも当然である。

「東京で電子部品を扱っている会社なんですが、ウチのドリルをイーグル精密さんに売却しまして、おそらくイーグル精密さんから御社に転売されたものだと思うんですが」

「ちょっと調べてみないことにはなんともいえませんが」

加藤はいった。「それがどうかされましたか」

「お聞き及びかと思いますが、イーグル精密が先月末に不渡りを出して倒産したんです。ウチのドリル代が未回収なんですが、イーグル精密さんに対してドリル代を支払われるのでしたらそれを回していただけないかと思いまして」

虫の良い申し出と思ったのだろうか。電話の向こうで加藤はしばし沈黙した。

「話が見えないんですがね」

やがて、少し苛ついたような声がいった。「ウチはたしかに八月十三日にドリルを購入してますけど、それはイーグル精密という会社からではありませんよ。そもそも、ウチはそんな会社とは取引もないし」

「取引が、ない……？」

今度は倉田が押し黙る番だった。

「しかしですね、ウチがイーグル精密さんに売却したドリルは、たしかにお宅の長岡工場に運ばれてるんですが」

「ああ、これですか」

電話をしながらパソコンか資料から当該取引を探したらしい加藤はいった。「たしかにドリルは納品されてますが、御社とは関係のない会社からのものです。何か勘違いされていませんか」

「そんなはずはありません」

混乱しつつ、倉田はいった。「参考までに教えていただけませんか、そちらではそのドリル、どこから購入されたことになってるんでしょう」

「それは申し上げるわけにはいかないな。内部のことなので」

硬い口調になって、加藤は拒絶した。だが、倉田の中で、ある事が閃《ひらめ》いたのはまさにこのときだ。

「もしかして、相模ドリルさんですか」

相手からの返事はない。倉田は続けた。「それでしたら、ウチも取引があります。何かの手違いがあるとしたら、後で支払先を訂正していただかないといけなくなるかも知れません」

「御社も相模さんと取引があるんですか」

加藤は、少し態度を軟化させた。

「そちらでは、相模さんから直接納入されたことになってるんですか。イーグル精密ではなく？」

「そうですよ」

ようやく答えた加藤に、「なにかの手違いということはありませんか」、と倉田はきいた。「担当の方に確認していただけるとありがたいのですが」

「その必要はないでしょう」

購買というのは往々にして偉そうなものだが、加藤の言葉遣いもどこかぞんざいだった。

「ウチとしても大口の損失を被るかどうかの瀬戸際なんです。お願いしますよ」

「ですから、その必要はありません」

加藤はきっぱりといった。「このドリルは私が相模ドリルさんにいって仕入れたものです。ウチはイーグル精密という会社とは一切取引がないし、もし手違いがあるとすればそれはウチじゃない。お宅のほうです」

それ以上、話す余地はなく、また話す必要もなかった。

話を終え、静かに受話器を置いた倉田は、デスクに肘を突き、拳を額に押し付けた。

「どういうことですか、部長」

やりとりを聞いていた摂子が、怪訝な表情を浮かべている。

「はっきりしたことはわからない」

倉田は立ちあがり、キャビネットの履歴書ファイルを取り出した。開いたのは真瀬の履歴書だ。その内容をメモに取ると、

「銀行へ行ってくる」

上着とカバンを取って、摂子にいった。「遅くなるかも知れないから、そのときには先に帰ってください」

「あの――部長」

歩き出した倉田を摂子は呼び止めた。

「何かわかったら私にも教えていただけますか」

「もちろん」

倉田は約束した。「ぜひ、西沢さんの意見も聞きたいからね」

2

「どうしたんです、こんな時間に」

銀行の裏口から村井を呼び出すと、二階の融資課から降りてきてくれた。

「調べ物がしたいんだが、協力してくれないか」

少々驚いた顔をした村井だが、「どうぞ」、と倉田を中に入れると、先に立って階段を上がっていく。ロビーにある応接用のブースに通された。

「いまから二十年ほど前に、シータ電気っていう会社と青葉銀行は取引があったはずだ。倒産した会社なんだが、概要を調べられないか。住所はわかるが代表者氏名はわからない」

「シータ電気というのは……？」

「ウチの真瀬部長が以前、役員をやっていた会社だ」

「なんで、それをお調べになってるんです。真瀬さんに聞くわけにはいかないんですか」

「聞けないから、君に頼みたい」

倉田はいった。「今回のイーグル精密との関係を調べてるんだ。いまはまだはっきりしないから話せないんだが、どうも納得できないことが出てきてね。融資部に当ってもらえないだろうか」

「でも、倉田さん。このシータ電気という会社が当行と取引があったとは限らないじゃないですか」

「いや、青葉銀行の取引だと思う」倉田はいった。

「真瀬さんがそういったんですか」

「そうじゃない」

倉田は首を横にふる。「この前、真瀬のクレジットカードの審査が通らなかったって話、あっただろう。どうも頭にひっかかってたんだ。十数年も前の倒産なら個人信用情報の記録は抹消されているはずだ。それなのに、なんでだろうって。だけど、ウチの信用データベースには残っていたと考えれば辻褄が合う」

村井は一瞬ぽかんとしてから、驚嘆混じりの眼差しを倉田に向けた。

「たしかに、それは考えられますね。融資部に問い合わせてみます。どんな情報が必要ですか」

申し出てくれた村井に、「詳しい資料があるに越したことはないが、まず、概要が欲しい。役員や株主、それに取引先。倒産するまでの大まかな決算内容といったところかな」

「わかりました。少々お待ちください」

村井が席を立ち、倉田はひとりブースに残された。十分ほど待っただろうか、再びブースに入ってきた村井は、「話はつけました」、とそういった。

「ただ、二十年以上も前の資料なので地下の第三書庫に入っているそうです。これから手配してもらうことになったんですが、どうしますか」

第三書庫は、永久保存などの古い書類を中心に保管してある広大な倉庫のようなところだ。

「もし、向こうが迷惑でなければ、取りに行くと伝えてくれないか。誰を訪ねればいい」

「融資部債権管理グループの江守《えもり》部長代理です。同道しましょうか」

気を遣った村井に、礼を言って断った。

「それには及ばない。これは、私の仕事だから。忙しいところ悪かったね。ありがとう」

青葉銀行の中野支店を出た倉田は、そのまま駅に向かい、同行の本店がある新宿に向かった。


江守は、四十代後半の温厚な雰囲気の男で、倉田が訪ねたときすでに書庫から当該資料を出して待っていた。

「どうぞ。このシータ電気というのは、ウチの川崎支店で取引のあった会社ですね。年商五億円程度の会社ですが、当時の融資方針が積極的だったこともあって二億円弱貸し込んでいました。担保にとっていた社長の土地建物を競売にかけるなどして七千万円は回収しましたが、残金は貸し倒れた案件ですね。といっても、とっくに償却済みですが」

三階にある融資部の応接室で、差し出された資料を広げてみた。

そこに残されているのは、中小零細企業の起業から倒産までの記録だ。社長の名前は、西原洋介《にしはらようすけ》。真瀬は、創業メンバーの営業部長として役員に名を連ねていた。

資本金一千万円。株は、西原の持ち分が六割、一緒に創業した真瀬を含む後の二人がそれぞれ二割ずつ所有していた。勤めていた会社を辞めた真瀬は、自らも二百万円を出資して西原らと新会社を設立し、その後倒産するまで取締役営業部長の要職にあったことになる。

倉田がふとページを捲る手を止めたのは、取引先欄に知っている社名を見つけたからだ。

相模ドリルである。

「川崎支店で、シータ電気を担当していた行員に話を聞きたいんですが、連絡先わかりませんか」

倉田がきくと、江守は、資料に捺印された印鑑を見て、「ああ、北島君だな」、といった。

「おそらく、いま業務部にいる者だと思うんで、連絡してみましょう」

そういうと、部屋の電話をとって内線で業務部にかけた。

二十年近く前の話である。この当時係員だった行員でも、いまはもう役職になっているはずだ。

「融資部の江守です。ちょっと聞きたいんですが、あなた以前川崎支店にいたことあったよね。シータ電気って会社のこと、覚えてる?」

顔見知りなのか、江守の聞き方は、単刀直入だ。「その会社のことで話が聞きたいっていう方がいらしてるんだけど、時間、もらえないかな。ウチから中野支店の取引先へ出向されている方で、債権回収がらみで当時のことを聞きたいとおっしゃってるんだが」

受話器を置いた江守は、「いま来るそうです」、とそういった。

まもなくノックがあり、四十半ばの長身の男が入室してきた。

当時担当だったという北島だ。浮かない顔をしているのは、かつて事故になった会社の話をいまさらほじくりかえされたくない、という思いがあるからだろう。その気持ちは、長く支店で融資を担当してきた倉田にもわかる。

「シータ電気にいた真瀬という男を覚えていらっしゃいますか」

向かいにかけた北島に、倉田はきいた。

「真瀬、さん……」

北島はつぶやくようにいうと、記憶を辿るかのように視線を壁に投げる。

「営業部長だった男です」

「経理担当者と社長とは面識があったんですが、営業部長さんと会う機会はほとんどありませんから」

北島のいうのももっともだった。銀行の融資担当が相手にしているのは経理部門で、たしかに営業部門の社員と直接会うことはほとんどない。

「どうして、そんなことを今更お調べになってるんですか」

「私は中野支店の取引先で、ナカノ電子部品という会社の総務部長として出向しています」

倉田は簡単に自己紹介してから続けた。「先月末、真瀬が獲得してきた新規取引先が倒産しまして二千四百万円の手形が不渡りになりました。ところが、この取引について不可解な点がありまして」

「不可解とは？」

興味を抱いたらしく、北島はきいた。

「二千万円分のドリルが、販売先とは違う、まったく別の会社に納品されていたんです。確認したところ、その会社では弊社が仕入れた相模ドリルさんから品物を買ったことになっていました」

資料にある相模ドリルの名前を、倉田は指先でとんとんと叩いた。「相模ドリルは、シータ電気とも取引があったはずです」

「相模ドリルさん……」

北島は口の中で社名を繰り返す。「ああ、思い出しましたよ、その真瀬さんという方。自宅を担保に入れてたんですが、その分を払うから勘弁してくれといってきた人だ」

「どういうことですか」意外な話である。

「親の代から住んでいる家だからといって、現金で代わりに支払うから競売にかけないでくれっていってきたんですよ」

「担保の設定額はいくらですか」倉田はきいた。

「たしか三千万円だったと思います。なんでそんな金があるのかなと思った覚えはありますね。稟議《りんぎ》をして、申し出通り担保を外すことにしたんですが、あとで聞いた話では、その相模ドリルの社長さんに借りたという話でした」

相模ドリルと真瀬との思いがけない関係に倉田は驚いた。

「じゃあ、真瀬は、相模ドリルの社長に三千万円近い借金があったということですか」

「真瀬さんと相模ドリルの社長との間でどういう取り決めになっていたかは知りませ

んが、たぶん、そういうことだと思いますよ」

倒産してから二十年近く。肩代わりをするぐらいだから、当時の相模ドリルの業績は良かったのかも知れない。だが、いまや同社の売上はじり貧で、前期は赤字だ。

「この倒産で役員は全員自己破産したんですが、真瀬さんについていうと、自宅を取られなかっただけ運がよかったんですよ。経理部長はともかく、社長は債権者に追われて路頭に迷うような状態でしたからね」

「そのふたりの消息はご存知ありませんか」

倉田がきくと、北島の表情が曇った。

「社長の西原さんは倒産から一ヶ月ほどして自殺されました。川崎駅で線路に飛び込みまして。まだ四十代で家族もいらしたんですが、迷惑をかけないように倒産直前に奥さんとは離婚されて別々の暮らしをされていたようです」

「そうだったんですか」

倉田は嘆息した。なぜ、真瀬が銀行からの出向者を目の仇《かたき》にするのか、いまその理由がわかった気がする。真瀬は仕入れ先である相模ドリルの社長に頼み込み、必死で自宅を守ろうとしたのだろう。真瀬から見て、融資の回収に走る銀行がどう見えたか、想像に難くない。

「ただ、経理担当の片岡《かたおか》さんのほうは、その後別の会社を立ち上げたという話を聞いています」

「電子部品関連の会社ですか」

真瀬のことだ、ナカノ電子部品の取引先にしているかも知れないと思い、倉田はきいた。

「だと思います。ただ、こういう前歴があると代表者になっても銀行での預金口座作成が難しいでしょう。だから、実際には、奥さんに株を持たせて自分は後ろに隠れてるようですけどね」

北島の話に、倉田は目を見開いた。

それと同じ話を、先日村井から聞いたばかりだ。

「なんという会社か、わかりますか」

「ちょっと社名までは覚えてません。すみません」

申し訳なさそうにいった北島に、倉田はいえいえと顔の前で手を振った。

「こちらこそ、お忙しいところ、お手間を取らせて申し訳ありませんでした。ありがとうございました」

江守に頼んでシータ電気の会社概要表をコピーしてもらい、青葉銀行本店を後にしたとき、すでに午後七時を過ぎていた。

疲れているはずなのに、頭だけが冴えている。

ばらばらだった事実がつながった途端、見えなかった新しい造形が浮かび上がった。

最後に残った事実を確認するため、携帯で中野支店の村井にかけた。

一旦電話を切った倉田は、折り返しかかってくるまで、雑踏の中を新宿駅に向かって歩き出した。

3

翌朝、こみいった倉田の話を聞き終えた摂子は、随分長い間、沈黙していた。途中でメモを取るのをやめてボールペンを置いたままだ。

相模ドリルからの仕入れ、在庫との不一致、真瀬が誤配と主張する廃棄ドリルの搬入、それを指摘してからの新品ドリルの搬入と搬出。倉田の反対を押し切ってのイーグル精密の手形受け入れ、そして同社の倒産――。

この事実が示すストーリーとは何か？　昨夜、辿り着いた結論を、この日の朝、倉田は真っ先に摂子に説明したのである。

「それを、真瀬部長は認めるでしょうか」

　やがて、摂子はいった。それは、倉田もまた考えていたことだ。

「そんなつもりはなかったといってしまえば、そのまま通ってしまう話かも知れません。新潟半導体がどこから仕入れたかということまで私たちでは証明のしようがありませんし、それがどうあれ、真瀬さんがドリルの代金としてイーグル精密の手形を集金してきたのは事実です」

「その通りだ」

　倉田は認めた。「この話は立証するのが難しい」

「でも、このままうやむやにするのもどうかと思います」

「うやむやにはしない。真瀬さんには自分のやったことを認めてもらう」

「簡単に認めるような人じゃありません」

　出張旅費の二重取りから在庫でのやりとりまで、真瀬の狡猾さには都度やられっぱなしだ。「なにか余程、言い逃れできない証拠でもない限り、自分の悪事を認めたりはしないでしょう」

「社長も真瀬さんの肩を持つだろうしね」

　そこが問題だというように、摂子もうなずいた。

「信頼しきっていますからね、社長は。イーグル精密のことだって、買収されるから大丈夫だって、真瀬さんの話を鵜呑《うの》みにしたのがいけなかったんです」

「そこなんだが、社長が信じたのには、もうひとり、真瀬さん以外に情報を耳打ちした人間がいたからなんだ」

「誰なんです」

摂子は目を丸くした。

「野中さん」

名前を聞くと納得して摂子は頷いた。

「社長が真瀬さんのM&A話を信じたのは、野中さんからも同じような情報を得ていたからなんだ。本当にそういう話があったのかどうか、それを野中さんに確認してみるというのはどうだろう」

ひと晩考えた倉田の作戦であった。真瀬をどれだけ突いたところで、かわされるかも知れない。だが、単に協力しただけの野中であれば、話は別だ。

「それはおもしろいかも知れませんね」

倉田の意図を汲んで、摂子が笑みを浮かべた。「でも、その役を部長がされるんですか」

いいたいことはわかる。

口下手で大人しい倉田は、議論での押しが弱い。議論で相手をやりこめたことなど、銀行員時代を含めて一度だってないのだ。もちろん、そのことは自分でも承知している。それが自ら立てた計画の最大の弱点であることも。

「たしかに、得意なことではないんだが、やってみようと思う」

倉田は苦笑いしていった。誰だって得手不得手はある。たとえ苦手なことでも、立ち向かわなければならない時だってあるはずだ。

「具体的に、どうされるおつもりですか、部長」

摂子はきいた。

「社長からM&Aを検討してみて欲しいといわれた会社があっただろう。それを口実に野中さんに来てもらおうと思ってる」

先日、持川のところに持ち込まれたリストについて、倉田はまだ回答していなかった。その後、持川のところにはフォローの電話が何度かあったらしく、暇なときに話を聞いてやってくれといわれていた。

「社長と野中さんの三人で話をするということですね。そこで野中さんに口を割らせれば、真相を暴くことができると？」

「どう思う？」

摂子は少し考えて、「いいんじゃないですか」、といった。

「当事者である真瀬さんと別々に話をするのは、なかなかいいアイデアだと思います。ちょっと逃げているように見えなくはありませんが」

「野中さんが認めたら、そのときには真瀬さんに話す。それならいいだろう」

ちょっとムキになった倉田に、摂子は笑みを浮かべた。

「本当に逃げただなんて思っていませんから、大丈夫ですよ。それより、いつにしますか」

「できるだけ早く。社長のスケジュールに合わせて、野中さんにアポを入れるつもりだ」

「ぜひ、お願いします」

そういってから、摂子は表情を曇らせ、嘆息した。「それであの不渡り手形分の代金も戻ってくればいいんですけどね」

「そいつはどうかな」可能性はなくはないが、回収は容易ではない。

「わかってますが、ついつい欲を掻きたくなるのが人情ってもんですよ」

摂子はいうと、「あ、そうだ」、と続けた。「すみません。昨日、部長がお帰りになってから、青葉銀行の八木さんという方からお電話がありました。急用でしたら携帯に連絡を入れますがと申し上げたんですが、それには及ばない、またかけ直すからとおっしゃって」

面倒見のいい男である。先日会ったときに愚痴を言ったから、おそらくはその後の様子伺いだろう。人事部に電話を入れると、すぐに本人が出た。

「昨日、電話をもらったらしいな。留守にしてて申し訳ない」

「忙しいところすまん。できれば近いうちに時間、もらえないかな」

倉田の予想を裏切って、八木はいった。「ちょっと相談したいことがあるんだが」

「ああ、いいけど。いつがいい？」

「今日か明日の夜はどうだろう」

両方空いているというと、早いほうがいいというので当日の夜になった。

「用件はそのときに話すよ」

八木の電話はそれで終わりだった。結局、何の用かはわからないが、それなりに重要な話であろうことは容易に想像がつく。

銀行の業績はここのところパッとしないから、二年先といわれている転籍を急がせて欲しいというような話だろうと倉田は想像し、ため息を漏らした。銀行という組織がピラミッド型であれば、倉田はとっくにその三角形から滑り落ちた口だ。いま、倉田の給料は、銀行とナカノ電子部品で分担して支払われている。ナカノ電子部品に転籍したとなると、ナカノ電子部品が銀行並みの給料を支払えるわけもなく、収入減は免れないところだ。

健太が大学卒業まではなんとかいけるかと思ったが――。

いや、まだ決まったわけではないと思い直した倉田は、頭を切り換え、野中の事務所に電話を入れて週明け午後のアポを入れた。持川の外出予定がないことは確認済みである。その持川に連絡を入れ、野中との面談に同席してもらうよう申し入れると、倉田の準備はそれで整った。

4

その夜、午後六時半に会社を出た倉田は、新宿駅東口にある八木が指定した居酒屋へ向かった。

先日一緒に飲んだ店だから場所はわかる。

午後七時の約束で五分前に着いたが、八木は先に来て待っていた。

「忙しいのに呼びつけて申し訳ないな」

乾杯の後、八木はいった。いつもの爽やかな口調ではなく、その表情も心なしか冴えない。

「人事部の部長代理様から呼び出しとあらば、馳せ参じますよ」

あらかた話の内容を予測して、倉田は少々皮肉めいた。「それと、先日の武蔵小杉支店の件では世話になった。ありがとう」

「役に立てなくて残念だったよ。その後、解決したのか」

その後のことについて話すと、「そんなことがあったのか」、と八木は唇を嚙む。

「それで、健太君の具合はどうなんだ」

「もうすぐ退院できると思う」

「よかったな」

八木はほっとした表情を浮かべたが、それも束の間、すぐに眉を寄せて真剣な顔になった。酒好きの男だが、生ビールは最初に乾杯してから口をつけないままだ。

「それで、相談ってなんだ」

八木が言いにくそうにしているので、倉田のほうからきいた。「オレの人事の話か」

「察しがいいな」

「誰だってわかるよ、そんなこと」

倉田は苦笑して、「転籍のことじゃないのか」、と先回りして指摘してみた。

図星だろうと思ったが、八木が首を横に振ったのは意外だった。

「いや、そうじゃないんだ。ちょっとお前の耳に入れておきたいことがあったんでな」

そういうと、まるで勢いづけでもするかのようにジョッキのビールを傾けてから、倉田と向き合う。

「この前、社内のことをいろいろとオレに話してくれたよな。あれはその後、どうなった」

「そのことか」

ナカノ電子部品の仕事に引き戻された気分で、倉田は小さくため息をついた。「残念ながら、二千四百万円の不渡手形を摑まされた」

「買収の話は？」

「ガセだった」

倉田はビールを一口飲んだ。苦みとともに理不尽な思いがのど元を下っていく。

「ガセ？」

八木は顎を突き出し、拍子抜けした顔になる。「なんだよ。社長と営業部長、両方騙されたのか」

「そうかも知れない」

「かも知れないって」

「まあ、なんというか」

倉田は、賑わってきた店内に視線を投げた。「オレは納得してない」

「まあ、そうだろうな。お前がいうようにしてたら、不渡りはなかったわけだから」

ちらりと倉田の表情をうかがった八木は、「それで、社長はお前にひと言くらい謝ったか」

「いや。それもない」

「だって、お前が散々指摘したことが正しかったんだろ。だったら、お前に一目置くぐらいのことはしてもいいはずだ」

「オレの指摘は、自分を納得させるだけの根拠に乏しかったからダメだそうだ」

八木は、救いようのないものを見つめる目をした。

「結局、倉田太一に対する社長評価は変わらずか」

「むしろ、下がったくらいだろ。営業部長とぶつかったのも、社長は気にくわないみたいだからな」

「なるほど、そういうことか」

腕組みをした八木は、居酒屋の天井を見上げてから、派手にがくっと首を折ってみせた。

「もういい加減、本題を切り出したほうがいいんじゃないのか」

「まあ、そうだな」

八木は、困ったような顔を倉田に向けると、それでも言葉を継ぐ前にほんの僅かな間を置いた。「実はな、お前んとこの社長から、人を替えてくれといってきた」

はっとした倉田は、視線を八木に結びつけたまま離せなくなった。

割り切れない思いとともに、腹の底から苦いものが込み上げてくる。

「嘘だろ」

つぶやいた声は、別人のようだ。

「もう少し様子をみてくれと担当からは申し入れたそうだが」

八木はいった。「だけど、オレは思うんだがな、倉田。銀行では散々苦労したじゃないか。出向してまで苦労することはないんじゃないかな。銀行に戻ったほうが良くないか」

悔しかった。自分が会社にとって継続雇用の価値がないと判断されたことに憤慨しつつも、つきつけられた事実には深く傷ついた。

「たしかに、いまの会社にとって、俺は必要な存在とはいえないかも知れないな」

自分に言い聞かせるように、倉田は呟く。

「必要かどうかは会社の事情によるだろう。だけどな、倉田。自信、持てよ。お前、正しいことしてるじゃないか」

「正しいことがいつも正しいとは限らないんだよ。だから世の中は難しいんじゃないか」

なにか自分でも矛盾していると感じつつも、倉田はいった。「どうなるんだ、オレは」

八木は申し訳なさそうに視線を逸らす。

「可能なら社長と話し合ってもらいたいが、それでダメなら考えなきゃならんだろうな」

「いまさら話し合いの余地はないよ。わかるだろう」

倉田は絶望的な気分でいった。

「そうかもしれない。しかし、納得のいく話ではないな」

八木は苦虫を嚙み潰したような顔になる。「営業力が必要なのはわかるよ。だけど、お前の指摘は正しかった。嫌われようとなんだろうと、やっぱりお前は銀行員なんだよ」

倉田は、はっとした。

そうか、俺は銀行員か。

妙な話だが、このとき、その言葉がやけにリアルに倉田の心に響いてきた。ナカノ電子部品の社員になろうとするあまり、いままでの倉田は銀行員であることを忘れようとしていた。

だけど、やはり自分は銀行員なのだ。

そんなことにいまさら気づくなんて。

居酒屋の片隅で、倉田は唇を嚙みしめた。

5

野中が訪ねてきたのは、週明けの午後三時前のことだった。

ストライプの入った紺のスーツはいかにも高級そうで、真っ白なシャツに黄色の派手なネクタイを合わせている。倉田と違って黒々とした髪を整髪料で撫でつけたなりは、いかにも羽振りのいいビジネスマンといった感じだった。同時に、外資系金融を渡り歩いた挙げ句に独立した野中は、たしかにやり手なのかも知れないが、本心の見えない男でもある。金の匂いには敏感だが、人の情や機微には疎い。損得と割り切って人と付き合うタイプ、そこに、付け入る隙があると、倉田は考えていた。

「やあ、どうも。どうですか、調子は」

倉田の元を訪ねてきた野中は、いつものように軽やかな口調でいい、「どうでした、この前の話」、と早速、仕事の話を切り出してくる。

「まあ、そうだねえ。上で話そうか。社長もいるから」

資料を持って倉田は立ち上がり、階段を使って一階上に上がると、社長室のドアをノックした。

「野中さんが、いらっしゃいました」

持川を見たとたん、八木の話を思い出したが、込み上げた思いは胸に封印して野中に応接セットのソファを勧めた。

「一階の倉庫を見ましたけど、好調そうですね」

腰かけるや、野中がいった。倉庫を見たところで会社の好不調などわかるわけはないのだが、そういうことを臆面もなく口にできるのが、この男の営業マンたる所以《ゆえん》なのかも知れない。いずれにせよ、倉田には決してできない芸当であることは間違いなかった。

ウマが合うのか、野中が合わせているだけか、それから、持川との世間話が弾んだ。野中が見てきたというタイの工場の話から始まって、業界の動向、それにゴルフの話題まで。泉のごとく、話題は尽きない。時々会話に参加しながら、倉田は、話をうまく切り出すタイミングを計っていた。

「ところで倉田さん、先日お渡しした売却先リスト、どうでしたか」

野中から本題に戻してきたのはかれこれ二十分もそんな話をした頃だ。

「検討させていただいたところ、何社かは買収メリットがありそうですね」

倉田は、マーカーで印をつけておいたリストをテーブルに出した。「ただ、残念なことに、ウチのほうの業績に問題が起きまして。このタイミングでM&Aというのはどうかという気がします」

「問題？」

野中は、浮かべていた笑みを消した。

「八月に新規取引を始めたばかりの会社で大口の不渡りが出まして。イーグル精密という会社なんですが」

「ああ、あの会社ですか。知ってますよ」

野中は生真面目な顔をしていった。「そうだったんですか。ということは、うまく行かなかったのかなあ」

「うまく行かなかったとは？」

「実は持川社長にはお話をさせていただいていたんですが、三和エレキさんとの買収話があったはずなんです」

「その話はしただろ、倉田さん」

傍らから持川が口を出した。

「ええ、そうなんですが。それはどういうスジからお聞きになったんですか」

「どういうスジ――ですか？」

かすかに、野中に警戒感が浮かんだ。

「いや、考えてみるとM&A情報なんてものが、そう外部に漏れるはずはないと思うんですよ。通常、従業員にさえ内緒にしているようなケースが多いわけですからね。そうですよね」

「たしかに。一般的には」

野中は、三和エレキとイーグル精密の場合は、さも一般的ではないような口ぶりになる。「とはいえM&Aもいろいろですんでね」

「今回のケースは、一般的なケースではないと、そういう意味ですか」

倉田はきいた。

「なにをもって一般的とおっしゃるのかはわかりませんがね」

野中はいった。真瀬ほどの押しの強さはないが、口の上手い男である。

「で、どなたからお聞きになった情報なんですか」

なおも食い下がると、野中の表情にかすかな苛立ちが滲んだ。

「情報源は申し上げられませんよ。先方に迷惑がかかるかも知れないし」

「先方に迷惑って」

その言い草に倉田はあきれた。「ウチには充分迷惑がかかってるんですよ。野中さんのM&A情報でミスリードしたんだから、そのぐらい教えていただいてもいいんじゃないですか。社長、そうですよね」

持川は、いつにない倉田の態度に違和感を抱いたに違いない。

「まあ、それは倉田さんのおっしゃることも一理ありますね」

その一言で野中の表情に戸惑いが浮かぶ。

「私もこれが商売なものですから、誰から聞いたかというようなお話は──」

言い逃れようとしたが、

「野中さんの情報を信じたために多大な損失が出てしまったんです。商売だからこそ、その結果に対して、きちんとした弁明をされるべきじゃないんですか」

言いながら、心臓がドキドキしてきた。いままで、人に対してここまではっきりとものをいったことはなかったし、追い詰めようとしたこともなかったからである。

だが、気後れしている場合ではなかった。野中がどんな弁明をしたとしても、その真偽を追及しなければならない。それが倉田の使命だ。

「三和エレキさんの周辺からですよ」

苦し紛れの一言が出てきた。

「周辺とは？」

さらに追及する。「周辺とは、社外の人という意味ですか。社外の方が、M&A情報などという重要情報を持っていたんですか。だとすると、三和エレキという会社は随分、情報管理が杜撰《ずさん》な会社ということになりますよね」

「いや、周辺というのは、社外という意味ではなくてですね。関連会社といいますか、その――」

愛想のいい営業マンの仮面を脱ぎ捨て、明らかに野中は弁明に苦慮していた。

落とせる――。

倉田がそう直感したときだ。思いがけないことが起きた。

ドアのノックとともに、予想外の人物が顔を出したのである。

真瀬だった。

「遅くなりました。どうも」

ソファで額の汗を拭っている野中に声をかけた途端、その様子がおかしいことに気づいて問うような眼差しになる。

「実はいま、倉田さんに責められていましてね」

野中は、唇の端に無理矢理に笑みを浮かべていった。真瀬の出現にほっと胸を撫で下ろしているのがわかる。

「ほう」

真瀬が倉田を見たとき、その目には昏《くら》い何かが浮かんでいた。「どういうことかな」

「私のM&A情報の出所をはっきりさせろとおっしゃるんですよ」

「M&A情報の？　なんで」

倉田に向けられた質問には、すでに非難するような響きが含まれていた。

「そのM&A情報のおかげで、イーグル精密の信用状況をミスリードしてしまったわけです」

倉田はいった。「いったい、どこからの情報なのか、どれぐらい確かな情報だったのか、きちんと検証すべきだと思うんです」

「いまさらそんなことをして何になるんだよ」

真瀬は吐き捨てるようにいった。「イーグル精密が三和エレキに買収されるという情報なら、私だって得ていたんだ。出所云々の話じゃない。全員がイーグル精密に騙されたとしかいいようがないじゃないか」

そういうと真瀬は、持川を言いくるめにかかった。「無駄なことはやめて、前向きな話をしませんか。いまさらこんな話をしたところで、一銭の得にもなりはしませんよ。それで、今日は何の話です」

真瀬は強引に話を終わらせようとした。

「売りに出ている会社のリストを倉田さんに検討してもらったんで」

持川はいった。「それで真瀬さんにも聞いてもらおうと思って」

どうやら、それが真瀬が呼ばれた理由のようだった。

「最初に申し上げたんですが、いまのウチはM&Aを検討できる状態にはありません」

倉田がいうと、

「こういうときだからこそ、検討すべきなんじゃないか」

真瀬が反論してきた。「十年先の収益の柱を育てようと思ったら、投資環境が整うのを待っていては間に合わないだろう」

「ちょっと待ってください。大口の損失を出したばかりなのに、その反省もなく、巨額の投資を検討しろと、そうおっしゃるんですか」

さすがに苛立った声を出した倉田に、「反省すれば、損失の穴埋めができるのか」、と真瀬はなおも反論を重ねる。「銀行みたいな大組織ではそうかも知れないが、ウチみたいな規模の会社では、そんな悠長なことをしている暇なんかないんだ」

「小さな会社だからこそ、なぜ損失が出てしまったのか検証する必要があると思います」

倉田は一歩も退かなかった。「教えてもらえませんか、野中さん。そもそも、あの情報はどこから得たものですか」

「おい、やめろ」

真瀬が怒りを含んだ声でいった。「答える必要はないですよ、野中さん。時間の無駄だ」

「それでいいんですか、社長」

倉田は、持川にきいた。

「反省したところで損失が戻るわけではないから、真瀬君がいうのももっともかもな」

煮えきらない口調で、持川は真瀬の肩を持つ。しかし、今回ばかりは引き下がるつもりはなかった。これは、銀行員としてのプライドの問題だ。

「わかりました。じゃあ、ここから先は、融資先に出向している銀行員として質問させてください。ここで伺った話は、すべて銀行に報告し、今後のナカノ電子部品への融資判断の参考にさせていただきます」

倉田の発言に、真瀬が憎悪といってもいい眼差しを向けてきた。持川が何かいいかけたが、〝銀行員として〟という倉田の発言に言葉を飲み込んだのがわかる。

「改めて質問します」

倉田はいった。「野中さん、答えてください。情報源はどこです」

野中の目に逡巡《しゅんじゅん》が宿った。

「M&Aの情報源は、いわばウチの財産みたいなものでして……」

「だからいえないと？　だったら教えてください。あなたが情報を得たというのは本当のことですか」

一瞬の迷いが瞳を通過していき、「ええまあ」、という曖昧な返事がある。

「わかりました。では、真瀬さんに伺いますが、あなたは相模ドリルから仕入れたドリルを、イーグル精密に売却しましたね。そのドリルは、その後どこへ転売されたかご存知ですか」

「知るわけないだろう、そんなもの」

真瀬は、けんもほろろに言い放つ。

「じゃあ、私が教えましょう。あのドリルは、イーグル精密にではなく、新潟半導体の長岡工場に運ばれて行きました。社長、ご存知でしたか？」

持川はびっくりした顔になり、「いや」、といったまま確かめるように真瀬を見た。

「配送の指示は、真瀬さんがしたんですよね。担当の真瀬さん以外、そんなことを指示する者はいません」

「いちいち、そんなこと覚えてないよ」

とげとげしい口調で、真瀬がいった。「だったら、イーグル精密が新潟半導体に売ったから、そっちに配送したんだろう。それだけのことじゃないか」

「いいえ、違います」

真瀬と持川、それになりゆきを見守っている野中の三人をざっと見て、倉田は否定した。「新潟半導体の加藤さんという購買担当課長に確認しましたが、同社はイーグル精密からドリルを仕入れていません」

「しかし、ウチからその新潟半導体という会社の工場にドリルを運んだんでしょう」

持川がきいた。「どういうことなんです」

「新潟半導体は、そのドリルを相模ドリルから仕入れたといってるんです」

不可解な指摘に、さすがに持川もぽかんとして押し黙った。倉田は続ける。「新潟半導体の担当者はイーグル精密という会社は取引もないし知らないと。さらに、ウチのこともご存知ありませんでした」

「意味がわからないな。どういうことなんだ、真瀬さん」持川がきいた。

「新潟半導体という会社がどう伝票処理したかということまで、私にもわかりません。それはイーグル精密と同社との間のことです」

真瀬からさも当然と思える言い訳が出た。

「私はそうは思いませんよ、真瀬さん」

倉田は続けた。「あのドリルは、単純に、相模ドリルが取引先の新潟半導体に販売したドリルだったんです。あなたが描いた計画に単に利用されただけに過ぎません」

「ふざけたこといってんじゃねえぞ」

ドスの利いた声で、真瀬が恫喝《どうかつ》してきた。だが、倉田は動ずることなく、それを受けて立つ。

「いまから十八年前。川崎にシータ電気という会社がありました。その会社は不幸にして巨額負債を負って倒産、創業メンバーだった社長と経理担当取締役、営業担当取締役の三人は自己破産を余儀なくされました。その後不幸にも社長は自殺、営業担当取締役は数千万円の連帯債務で自宅を失うところでしたが、取引のあった相模ドリルの社長に肩代わりしてもらって免れ、その後ナカノ電子部品に入社、営業担当部長になりました。真瀬さん、あなたのことです」

錐《きり》のように鋭い視線を、真瀬は向けてきている。いまにも飛びかかって来そうな勢いだ。

「ところが、当時は順調だった相模ドリルもこの頃は業績が悪化し、資金繰りに窮するようになっていた。相模ドリルの社長と具体的にどういう話になっていたかはわかりません。ですが私の想像では、あなたは相模ドリルに資金を融通するよう頼まれたんじゃないですか。そこであなたは一計を案じ、同社への資金を融通する計画を立てた。それが今回の架空取引です」

架空取引という言葉を倉田が口にしても、真瀬は怒りを浮かべた形相のまま眉ひとつ動かさなかった。

「まずあなたは、相模ドリルからドリルを仕入れたことにして仕入れ代金の二千万円を支払いました。社長には、新規開拓という名目で承認を得、実際にそのドリルは新規先に販売したことにする。そしてその後が肝心なんですが、その新規取引先はすぐに倒産し、結果的にナカノ電子部品に不渡りを掴ませる。こうすることで、相模ドリルは二千万円を手に入れられるわけです」

倉田を凝視する持川は、驚愕の表情のまま石膏《せっこう》で固められたように動かない。

「ただし、この計画を実行するためには、いくつかのハードルを飛ばないといけません。まず、まもなく倒産確実な会社がなくてはなりません。そして仕入れてもいないドリルの代金として手形を発行してもらわなければならない。つまりは真瀬さんの計画に賛同し、おそらくはだまし取った代金の一部を報酬として得ることで協力してくれる仲間が必要になる。この野中さんを使って持川社長を騙すのも、周到な準備のひとつです」

倉田はこのとき、相手に負けないぐらいの勢いで、真瀬の目を真正面から見据えて対峙した。

「そのためにあなたが選んだ会社が、イーグル精密だったんです。そして、あなたに協力したのは、同社の実質的なオーナー、シータ電気の経理担当役員だった片岡啓介《けいすけ》さんです」

先週、銀行本部まで行って調べものをした後、青葉銀行中野支店の村井に電話をかけて確認したのは、イーグル精密の実質オーナーの名前だった。シータ電気の経理担当役員と名前が一致した段階で、倉田は自らの仮説の確かさにほぼ自信を持ったのである。

「さて、もう一度、あなたに質問させてください、野中さん」

青ざめた表情で話を聞いていた野中は、倉田に話を振られ頬を引き攣《つ》らせた。

「あなたは本当に、三和エレキのM&A情報を得ていたんですか」

狼狽した野中の視線が揺れ動いている。

「これは刑事事件になると思います。もし、あなたが信用に値するスジから聞いたというのならそうおっしゃってください。ですが、もし——もし持川社長を騙すために、誰かに口裏を合わせて欲しいと頼まれて仕方なくそうされたというのなら」

仕方なく——あえて倉田はそう付け加えた。「いま正直に話して欲しい。どうなんです、野中さん」

「答える必要はない！」

真瀬が怒鳴った。「お前、こんな話を信じるのか。デタラメだよ、こんなのは」

「面倒なことになりますよ」

倉田は、野中を睨みつけた。

「あなたが正直に話してくれたんなら、私から警察には穏便にしてもらうよう申し入れます。どっちが得かよく考えることですね」

野中の中で、左右に揺れ動いていた天秤が見えるようだった。だが、損得勘定に長けたこの男の結論がどちらに傾くのか、疑う余地は無い。

「すみません、社長」

数秒間、唇を噛んでいた野中は、そういって持川に頭を下げた。「こちらの真瀬さんから、そういう話をしてくれと言われて、つい」

両手の拳を膝に置いたまま、真瀬は、野中に噛みつかんばかりだ。

「いや、まさかそんな裏があるなんて、知らなかったんです。ただ、取引の後押しをしてもらいたいからって頼まれたもんですから」

野中は言い訳を口にする。「さすがに真瀬さんから頼まれては断れないですよ」

「そういうわけです」

放っておけば延々と言い訳の言葉を連ねそうな野中を、倉田は遮った。「ご理解いただけたでしょうか、社長」

肘掛け椅子に深々と沈み込んだ持川は、左手を額に当てて俯いたままだ。

「真瀬さん、反論があればこの場でしてください」

倉田はいったが、固く唇を結んだままの真瀬からの返事はない。熱っぽく濡れ、血走った目だけがじっと倉田を睨み付けていた。

6

真瀬博樹《ひろき》は、川崎市内で水道工事を主業とする工務店の長男として生まれた。中堅の水道工事業者から独立して下請けとなった父は、いつも数人の人工《にんく》を使って、主に水道局が発注する川崎市内の道路工事の下請けとして食っていた男であった。

川崎市内の準工業地帯にある鉄骨三階建ての家は、一階がランマーやローラーなどの機械と資材置き場、二階が事務所で、二階の一部と三階が住居部分という作りになっていて、幼い頃から真瀬は、そこに出入りしている土木作業の男たちを見て育った。

母は毎朝五時前には起きだして人工の分も含めて弁当をつくり、真瀬を学校へ送り出した後、夫を追って工事現場に急ぎ、頬被り姿で誘導灯を持ち、交通整理をする。

右肩上がりの日本経済に支えられた当時は工事件数も多く、さらに談合で固めた入札によって、工事業者の懐はいつも潤っていた。

家業が忙しい両親のおかげで、ひとりっ子の真瀬は、放任された環境の中で育った。

様々な道具が転がっている真瀬の家は格好の遊び場で、学校が終わると、すぐに友達が何人も遊びに来る。体も大きく、明るい性格だった真瀬は、ガキ大将で面倒見もよかったことから、子供たちから好かれていた。

勉強しろといわれたことはほとんどない。両親とも学歴には無関心、将来は家業を継いでくれたらいいぐらいにしか思っていなかったからである。

それでもそこそこに勉強が出来た真瀬は、地元の公立小、中学校を経て、同じ市内にある普通高に入って、大半のクラスメートがそうしたように大学進学を考えていた。

だが、その頃になると、かつて順調だった家業に翳《かげ》りが見えてきた。

公共事業数の減少、受注単価の低下により下請け仕事の利益率は急速に絞られて売上は半減、それまでひっきりなしに出入りしていた人工もいなくなり、父親自身が日雇いのようになって発注元の工事現場に出向くことのほうが多くなってきたのである。

「お前、本当に大学、行くのか」

真瀬に高卒後の就職を決意させたのは、高校三年の夏、受験塾に行きたいから金を出してくれと親に頼んだときの父の一言であった。それまで、真瀬の親は、金のことをほとんど口にしたことはなかったが、そのとき真瀬は、自分の家に大学へ通わせるだけの経済的余裕がなくなっていることを察したのである。大学は諦めてどこかに就職してくれと、父の目は訴えていた。

数少ない就職組となった真瀬だが、そこそこの進学校だったから就職はそれほど苦労することなく、同じ川崎市内にある電子部品会社に決まった。そこで営業マンになった真瀬は、物怖じしない性格と押しの強さ、そしてセールストークのうまさで、たちまちのうちに頭角を現した。

その会社には五年ほどいて最年少の課長に出世していた真瀬は、その後、同業他社から引き抜かれて、もう一回り大きな会社の営業課長になっていた。

その頃の真瀬はまさに口八丁手八丁のやり手で、大口の新規先を開拓して社業の発展に寄与し、社内でうらやまれるほどの実績を上げるスターだった。

もし、そのまま真瀬がその会社に止まったのなら、ゆくゆくは役員にもなり、それなりに満たされた生活が保証されていたかも知れない。

だが、思うままに実績を上げていた真瀬はやがて、自分はこんな小さな会社で終わる人間ではないと思うようになった。

そう思わせたのは、真瀬が新規取引先として開拓した相模ドリルという会社の社長、前村《まえむら》で、前村は自らの起業体験を熱心に語り、ことあるごとに真瀬に独立開業を勧めたのである。

相模ドリルは、それまで同業大手に勤務していた前村が三十五歳のときに起業し、創業十年で売上五十億円を稼ぐ会社に成長していた。前村は高級車を乗り回し、真瀬を連れて銀座の高級クラブをハシゴして、金があるというのがどういうことかを真瀬に教えたのである。

最初は軽く付き合っていただけの真瀬であったが、そんな遊びに付き合ううち、次第に考え方が変わってきた。

真瀬には、いまの会社の業績を引っ張っているのは自分だという自負があった。もし、自分が独立開業すれば、前村のような高収入を手にすることができるはずだ。

だが、真瀬ひとりで会社を切り回すのには限界があった。会社を起こし、そこそこのスピードで発展させるためには、仲間がいる。

真瀬が誘ったのは、営業部の先輩の西原という男だった。当時の真瀬は三十歳。西原はその十歳上の四十歳で、そこそこに仕事が出来、しかも以前から独立志向が強く、そのための資金も持っていた。

そしてもう一人、声をかけたのは、当時経理部で課長をしていた片岡という男だ。会社の経理を仕切っている片岡は仕事の出来る男であったが、如何せん社長との折り合いが悪かった。そのせいか、四十五歳という三人の中では最年長であるにも拘わらず、役職は真瀬と同じ課長に留め置かれて冷や飯を食っていたから、真瀬の話に二つ返事で飛びついてきた。

真瀬が声をかけて三人の意思が固まってからというもの、仕事の後に近くの居酒屋に集まり、事業の計画を練るのが三人の日課になった。その話し合いの中で、もっとも資本金を多く拠出する西原が社長になり、真瀬が営業部長、そして片岡が経理部長として出発することが決まっていったのである。

かくして約半年の準備期間を経て設立されたのが、シータ電気という会社だった。

本社は川崎。川崎駅から徒歩五分ほどの雑居ビルの二階、そこの月十五万円の格安物件がふりだしの場所だ。

片岡の知恵とノウハウでかき集めた運転資金は、全部で一千万円。事務所の保証金を支払った残金と合わせると、何もなければ六ヶ月しかもたない。

必死だった。西原と真瀬は、持てる人脈と営業ノウハウの全てを注ぎ込み、それこそ不眠不休で働いた。真瀬の人生の中でこれほど働いたことは後にも先にもないと断言できるほどである。

だが、その甲斐あって、シータ電気は順調に立ちあがっていった。

創業年の売上は約一億五千万円だったのが、二年目には三億円を超え、その時点で創業赤字も解消、その後も業績は右肩上がりで推移していく。

社員も増やして営業体制を強化し、売上十億円を超えたのは創業三年目のことであった。

ところが、景気が悪化した四年目、シータ電気は初の減収になる。取引先の業者選別の目が一段と厳しくなった五年目には、業績の柱だった主要取引先との取引が打ち切られ、ついに初の赤字決算を組まざるを得なくなった。

その穴を埋めるために、真瀬たちは連日、新規取引を求めて新たな企業の門を叩き続けた。来る日も来る日も、会社のパンフレットと製品案内を持って、靴底をすり減らして歩き回る日々。

だが、真瀬たちがどう頑張っても、大口取引先が抜けた穴を埋めるほどの取引先はなかなか獲得できなかった。

それにはいくつか理由がある。

シータ電気は、いってみれば真瀬や西原の商才によって頭角を現した会社といっていい。だが、それを除けば、取扱商品もサービスの質もありきたりなもので、競合他社を押しのけて新規参入できるほどのものは何もなかったこと。もうひとつの理由は、財務評価という観点から取引先選別に力を入れ始めた大手企業にとって、シータ電気の財務内容は、あまりに脆弱《ぜいじゃく》すぎたことだ。急成長した会社にありがちではあるが、売上ばかりを追求して財務の健全性といったことに配慮してこなかったツケを払わされる格好になっていた。

真瀬たちの努力も実らず、シータ電気は二期連続の赤字に転落した途端、メインバンクである青葉銀行が融資態度を変え、資金繰りが逼迫することになった。

将来の成長を見込んで採用した社員の給与支払い、さらに新社屋購入で借りた資金の返済が重くのし掛かる。

社長の西原から、真瀬の実家を銀行融資の担保に入れてくれないかといわれたのは、まさにそんな時期であった。

誰もいなくなった社内で、「この通りだ」と西原に頭を下げられて懇願されたとき、さすがにその場で断れなかった。

水道工事の下請けで細々と食っていた両親はすでに高齢になっており、よほど手が足りなくて頼まれて出て行くとき以外、ほとんど仕事らしい仕事もせず、さしてあるわけでもない蓄えと年金でつましく暮らしているような状態だった。

だが、借入金の担保に入れてくれないかと真瀬が頼んだとき、意外なことに、父親は断らなかった。

本当にいいのか、と何度も確認する真瀬に、父は笑っていった。

「お前を学校に行かせてやりたかったが、できなかった。ずっとそれが気になっててな。こんなことで穴埋めできるとは思わないが、それでお前が助かるのならそれでいい」

父はそういうと、翌日真瀬とともに銀行へ行き、担保の差し入れ書類に黙ってハンコを捺したのである。

借りた金額は三千万円。だがその金も、地面にこぼした水が土に吸い込まれていくようにあっという間に消えていく。

その間にも社員の首を切り、会社は縮小の道を突き進んだ。しかし、自転車操業から抜け出すことができず、ついに創業七年目の夏、真瀬らの事業は終焉を迎えたのであった。

そのときシータ電気の債務総額は五億円。これに対して、青葉銀行川崎支店の債権回収は、容赦の欠片もなかった。世の中が不況で倒産企業が相次いでいる最中、いちいち債務者の言い訳や要求を聞いている暇はなかったかも知れない。一回目の不渡りが確定した途端、預金口座に残っていたなけなしの資金を融資と相殺《そうさい》し、連帯保証人である社長、そして担保提供者である真瀬の老いた両親のところにも担当者が赴き、競売を前提として処理を進める旨を通告したのである。

不渡りは二回目を出して、銀行取引停止処分になるのがルールだ。

その二回目を待たずしてそこまでやる銀行に対して、真瀬は抗議した。とくに親のところにまで押しかける配慮の無さには激しい怒りを覚えたが、そんな真瀬の抗議を銀行の融資担当者は憎々しげに撥ね付けたのである。

「じゃあ、返してくださいよ。返せるんなら、謝りますよ。ウチに文句をいってくるなんて、筋違いもいいところだ。迷惑をかけてるのは、お宅じゃないですか」

もし実家を失えば、両親は住むところを失い、路頭に迷うことになる。自分のために、そんな目に遭わせるわけには絶対にいかなかった。

こうなった以上、会社の再建は諦めるしかないし、真瀬自身が自己破産することも仕方がない。だが、両親の家だけは守らなければならない――倒産騒ぎの修羅場の中でそれだけを自らに誓った真瀬だが、頼れる先はひとつしかなかった。相模ドリルの社長、前村だ。

懇願の末、前村は首をタテに振ってくれたが、その融資には条件があった。

肩代わりする代わり、真瀬の実家に担保設定すること。これは当然といえば当然の条件だと思う。問題はふたつめだ。半年以内にどこかの会社に再就職し、相模ドリルと新規取引を開始して利益を落とすこと――。

そうした条件を出すのは、営業マンとして真瀬の実力を前村が認めていたからだ。自社に引っ張るのではなく、取引先となりそうな会社に入れて、自社製品を買わせるようにする。そのほうが人件費というコストをかけることなく、自社のメリットが享受できると前村は考えたのだ。

その場で真瀬が条件を呑んだのはいうまでもない。倒産処理の傍ら秘かに転身先を探った真瀬が、当時営業力強化を急務としていたナカノ電子部品に再就職したのは、それから間もなくのことであった。

シータ電気時代からナカノ電子部品に出入りしていた真瀬は持川と面識があり、その営業力が評価されての入社である。シータ電気の倒産騒ぎは知っていても、先代の急死で営業の柱を欲していた持川にしてみれば好都合だ。

かくして営業部長に収まった真瀬は、持ち前の実力で同社の営業を支えると同時に、相模ドリルとの約束も忘れなかった。

相模ドリルを有力な仕入れ先として新規参入させ、毎月数千万円もの仕入れ先に仕立て上げたのである。

仕切り値は常に高く、相模ドリルを儲けさせる。一方その裏では、前村から借りた三千万円を地道に返済しつづけなければならなかった。立場の弱い販売先を使ってのカラ出張や、出張費の二重取りは、真瀬の立場を利用した〝錬金術〟だ。この十数年に、返済したのは約二千万円。あと五年もすれば残金も返し終え、真瀬自身の倒産処理は全て終結する——はずであった。

「予定が狂ったのは、それまで順調だった相模ドリルの業績が急激に悪化したからなんだ」

倉田はいった。

社長室での対決を終えて戻った総務部のシマである。真瀬が語った内容を話す間、摂子はほとんど一言の口も挟まず、耳を傾けている。

「あるとき相模ドリルの前村社長から、銀行から金を借りるまでの二週間だけでいいから二千万円を融通してくれないかといってきたんだ。考えた挙げ句、真瀬さんがやったのは、二千万円の架空取引だった。この辺りの事情は、私の想像とは少し違っていた」

「最初に、ドリルが無いと騒ぎになった分ですか」

「その通り。真瀬さんと相模ドリルの間では、相模ドリルから二千万円分のドリルを仕入れたことにして金を融通し、約束の二週間後に買い戻してもらうことで話がついていた。もちろん、この取引は真瀬さんの独断だ。ところが、その後真瀬さんにとっては予想外の事態が持ち上がった」

真瀬の話でわかったことは、真瀬は最初、二千万円を一時的に融通しようと考えていた、ということであった。それは、最初からイーグル精密を利用した架空取引でお金をだまし取ろうとしたという倉田の推理が外れた部分でもある。

だが、あの在庫ドリルが発覚したときの経緯は、たしかに一時的に融通するつもりだったという真瀬の言葉を裏打ちするもののように思える。

「ひとつはウチの在庫調査ですね」さすがに摂子は察しがいい。

「その通り。ウチが在庫を調べ、二千万円のドリルが無いことがわかってしまったんだな。そこで真瀬さんは相模ドリルに連絡して、廃棄する予定だったドリルを運ばせて倉庫に積んだ。それで我々の目を誤魔化そうとしたわけだな」

「ところが、そうはいかなかった」

摂子が後を継いだ。「部長が廃棄ドリルであることをつきとめてしまったからですよね」

「まあ、私がというか、それは江口君の手柄でもあるんだけどね」

倉田は控えめにいった。

「そしてもうひとつ、真瀬さんの計画外だったのが、相模ドリルが銀行融資に失敗したことだ。その結果、相模ドリルからは金が返せないといってきた。ここに至って真瀬さんは困り果てた。ところがそんなとき、イーグル精密の話を思い出したんだよ。実質経営していた片岡氏と真瀬さんは、シータ電気が倒産してからも時々連絡を取り合って付き合っていたんだ。イーグル精密がいよいよ危ないという話は以前から聞いて知っていたんだな。片岡氏からは、真瀬さんに、なんとか助けてくれないかという話が来ていたらしい。そして、真瀬さんは新たな計画を思いついた」

「相模ドリルから買ったドリルをイーグル精密に売ったことにする架空取引ですね」

「その通り」

倉田は、頭の回転の速い部下に、頷いてみせた。「イーグル精密にドリルを転売したことにして、同社が倒産する。そうすれば、ナカノ電子部品が損失をかぶる形になって、相模ドリルは二千万円を返さなくて済む。業績不振のイーグル精密との取引を了承させるために、社長には、野中氏を利用してニセのM&A情報を流したわけだ。実際、この計画はなかなか良くできていたと思う。でも、西沢さんの在庫チェックまで誤魔化すことはできなかった」

そういうと摂子は驚いたように目を丸くしてみせた。

「いえ、最初から廃棄ドリルでも積んであったら、私にはきっと見抜けなかったと思います。真瀬さんの計画は、やはりどこか杜撰だったんですよ。それが全てです」

「そんなことはないさ。礼を言うよ。西沢さんのおかげだ」

「いえ、私なんて」

摂子は顔の前で手を振ってみせた。「部長がいなかったら、とても解明なんかできなかったと思います。ですけど、これからどうするんですか」、ときいた。「警察には通報されるんですか」

「持川社長に一任したよ」

倉田は嘆息まじりにいった。「真瀬さんを警察に突きだしたところで金が返ってくるわけじゃない。全額を返還することを条件に通報しないことも考えているかも知れないな」

摂子を遠慮がちに一瞥した倉田は、「甘いと思うかい」、ときいた。

「どうなんでしょう」

しばし考え、摂子はいった。「真瀬さんにはきっちりと償ってもらいたいと思いますけど、いろいろな落としどころがあるということは理解できないわけではありません。第一、営業部長が詐欺で逮捕されたなんて、あまり格好のいいものではありませんからね。信用に関わります。持川社長が、そういう体面を気に掛けて実を取ったとしても、責められないとは思います。ですけど、やっぱり私、真瀬さんのことは許せません」

きっぱりといった摂子には、一本スジの通った凜とした表情が浮かんでいた。「まあそれはともかく、今回は、ありがとうございました。これからもよろしくお願いします」

頭を下げた摂子に、倉田はよほど出向解除になることをいおうかと思った。が、かろうじてそれを飲み込み、「こちらこそ。お疲れ様」、そっと労いの言葉を口にするに止めたのであった。

「大変だったね」

会社でのことを話すと、珪子は眉根を寄せた。倉田が帰宅したのは午後十一時過ぎであった。

「なんか気に入らないな。だったら警察は要らないじゃない」

不満そうにいったのは、七菜だ。

「お金が返ってくるかどうかはわからないよ」

倉田はいった。相模ドリルへの支払いはすでに七月に済ませている。この二ヶ月の間に、その金は使われてしまっただろうし、ナカノ電子部品に返済するだけの余裕があるか微妙なところだろう。

「だけど、返せないなら警察に通報するっていうのも、なんだかヘンよね」

珪子がいうのももっともであった。だが、それが持川の下した結論であり、いまのところ倉田はそれに対して異議を唱えるつもりもない。

「そういえば、今日、プロダクションの社長さんがお見舞いにいらっしゃったみたい」

そういって話題は健太の事件に戻っていく。

健太が入院してから一ヶ月近くが経つ。バイト先の社長が見舞いに来るタイミングとしては遅いと思ったが、プロダクションに過失があるわけでもなく、とやかくいう筋合いのものでもないかも知れない。主治医の許しが出て、明日、健太は退院することになっており、そのために、倉田はわざわざ午後から半休を取っていた。

「もっと早く、ふたりの関係に気づけば良かったって。でも、まあ気にしないでくださいっていっといた」

「そういうしかないよな」

運ばれてきた食事に箸をつけながら、倉田はこたえる。

「その社長さんのところにも刑事さんが来て、いろいろ聞いてったらしいよ」

珪子が浮かない表情になる。「そのとき刑事さんがいってたらしいんだけど、田辺っていう犯人も、クルマにキズつけられたりしてたんだって」

「ほんとうか」倉田は、思わず箸を止めた。

「中原警察署に被害届を出してたらしい」

珪子はいった。「皮肉な話だよね。自分はウチのクルマにキズつけたり、パンクさせたりしておきながら、自分の車のことでは警察に被害届出すなんてさ」

「いつのことだそれ」倉田はきいた。

「逮捕される直前だって」

倉田の胸に、ぽつりと小さな疑惑の滴が落ちた。

7

その翌日、真瀬は出勤してこなかった。

副部長の島尾《しまお》が社長室に呼ばれ、おそらくは事情を説明されたに違いない難しい顔をして降りてきたことを除けば、社内は普段と何ら変わらないように見える。月半ばということもあって業務は閑散とした一日で、未決裁箱にたまる書類や伝票も、多忙時の半分ぐらいだ。

青葉銀行人事部の八木から電話があったのは、午後から半休をとった倉田がそろそろ会社を出ようとしていた正午前のことである。

「例の出向解除の件なんだが、お前の希望もあるだろうし、近々、ご足労願えないか」

来週水曜日の午前中に行く約束をしてから、会社を出た。

平日昼下がりの電車に乗ることは、銀行員時代、ほとんどなかった。支店にいた頃、取引先への移動は主に業務用車だったし、近場は歩きか自転車。電車に乗るのは通勤のときぐらいで、しかもいつも混んでいた。こうしてゆっくりとシートに座って眺める車窓の景色は、銀行員時代とはまるで違う印象を運んでくる。あくせく働き続けた三十年に積み重なった感覚はいわば巨大な氷塊のようなもので、そのとき刻まれた体のリズムや習慣は、この一年ちょっとの出向生活によって徐々に溶けていった。

たしかに出世の道からは外れたかも知れないが、もし銀行にいたら、いまだにこの日常風景を知らないままだったかと思うと、出向して良かったなと素直に倉田は思うのだった。

一旦、自宅に戻り、珪子とともにクルマで病院に向かう。

再塗装したばかりのクルマは、日射しを受けて新車のように輝いているのだが、いまの倉田にはそれがかえって重荷であった。

「あなた、先に行ってて。私、先に退院手続き済ませちゃうから」

病院の駐車場にクルマを入れ、受付の番号札をとった珪子と別れた倉田は、一足先に健太が待つ病室へ向かう。

「どうだ、調子は」

六人部屋のベッドに仰向けになっている健太に声をかけると、

「絶好調ですよ、もう」

という返事があった。着替えや日用品はすでにリュックに詰められており、いつでも退院できるようにすでに準備は整っているようだ。

「それはよかった」

そういった倉田は、病院の中庭を見下ろすことのできるベッドに自分も腰を下ろした。

「なかなか良い眺めだな」

「オヤジもひと月眺めてみたら。ひと月後に、同じことがいえたら尊敬するよ」

「まあ、それもそうだ」

倉田は苦笑し、「昨日、プロダクションの社長さんが見舞いに来たんだってな」、と話を向ける。

「ああ。やっぱオレがいないと困るみたいでさ。早く復帰してくれって懇願されちゃったよ」

調子よく健太はいい、「それがどうかした?」、と起き上がるとそれまで読んでいた雑誌をリュックに入れ始める。

「犯人の田辺の話、きいたか。田辺もクルマに悪戯されたりしていたらしい。しかも、先月だそうだ」

倉田がいうと、「らしいね」、という返事がある。「偶然というか、ヘンな話だよ。犯人が被害者になるなんてさ」

「本当に偶然かな」

そういって倉田は、健太を見た。

「どういう意味?」

探るようにきいた健太に向き直った倉田は、「なあ、健太。正直に話してもらいたいことがあるんだ」、といって続けた。

「武蔵小杉駅で犯人を張り込みしたときのことだ。あのとき、駅の階段近くで犯人を見失ったって、お前いったな。あのとき、本当に、お前は犯人を見失ったのか?」

健太からの返事はしばらくなかった。

「なにいってんの。どうしてそんなことを聞くわけ」

やがて、笑いを浮かべて健太はきく。

「あのとき——本当は、見失ったんじゃなくて、それ以上、犯人を追いかけるのをやめたんじゃないかと思ってな」

健太からの返事はない。ベッドサイドに倉田と並んで腰掛け、ぶらぶらさせている自分の足を見ている。Tシャツから覗いている包帯が痛々しかった。

「あのとき、追いかけたお前は、犯人に近づいて、それが田辺だってことに気づいたんじゃないか」

倉田は、なおも問うた。

「じゃあなに？　オレが相手が誰か知ってながら、それを見逃したってこと？」

健太は笑ってみせる。「ちょっと待ってよ。なんのためにそんなことをするわけ？」

「仕返しするためだ」

倉田がこたえると、健太の笑みは微妙に歪んだ。

昨日、珪子から事務所の社長の話を聞いたとき、倉田の胸に浮かんだのは、思いも寄らないこの仮説だった。

「お前は、田辺が犯人だと知って彼の住所を調べた。同じプロダクションに出入りしてるんだから、住所ぐらい簡単に調べることができただろう。そうして、お前は田辺に対して反撃を開始したんだ」

「奴のルールで？」

健太の言葉に倉田ははっと息を呑み、まじまじと息子を見つめた。「そうだ。奴のルールでだ」

倉田は続けた。「この前、仕事帰りにもう一度武蔵小杉界隈を歩いてみたことがある。ATMを調べに行った帰りだ。そのとき、偶然、お前と出会ったよな。そのとき、お前は田辺の自宅に行った帰りだったんじゃないか」

「おもしろい仮説だね、それは」

健太はいうと、ふいに怒りを浮かべた目を倉田に向けてきた。「これは、ゲームなんだよ。奴が仕掛けたゲームなんだ。仕掛けた以上、反撃されるのも覚悟しなきゃならない」

「それじゃあ、お前は田辺っていう犯人と同じだ」

倉田がいうと、健太は口を噤んだ。「奴とまったく同レベルの人間だ。あの男のことを軽蔑する資格もない人間ということになる。これ以上は言わない。本当にそれでいいか、考えることだな」

返事はなく、代わりに足音が近づいてきたかと思うと、珪子が顔を出した。

「なんか、ここともお別れかと思うと——」

病室を見回してそういいかけてから、首を傾げた。「あら？　なんだか、ぜんぜん寂しくないねえ。健太、先生があちらにいらしたからお礼をいってよ。看護師さんにもね」

8

「部長。ちょっとよろしいですか」

モニタを覗きこんでいた摂子が倉田に声をかけたのは、金曜日の午後であった。

いつにない声の調子に、何事かと立っていった倉田は、画面を見た途端、短い声を上げた。

インターネット経由でアクセスした銀行の専用ウェブサイト。表示されているナカノ電子部品の普通預金の入金明細に、思いがけない金額が載っていたのである。

二千万円――。

「相手は、相模ドリルになっています」

摂子がいった。「つまり、ウチが払ったドリル代を返却するということかも知れません」

思わず顔を見合わせる。

「何か事前に連絡ありましたか」

倉田は首を横に振った。「私には連絡してこないだろう、真瀬さんは」

「どうやって資金繰りをつけたんでしょうね」

わからなかった。どうあれ、相模ドリルに対して、真瀬が何らかの働きかけをしたことだけは間違いない。詐欺で手が後ろに回るより、無理をしてでも金を集めて返そうと考えたことは容易に想像がつくし、それは正しい判断である。

倉田のデスクの電話が鳴り出した。持川からだ。

「いま真瀬さんから電話があって二千万円を振り込んだっていうんですが、入ってますか」

案の定、入金の件である。

「いま確認したところです」

倉田はこたえた。「二千万円、相模ドリルから振り込みがありました」

「ちょっと見せてもらっていいですか」

画面のプリントアウトを持ち、社長室に上がった。

それを受け取った持川は、その場で真瀬の携帯にかけ、「ああ、いま確認できました。ご苦労さん」、そんな会話をして通話を終えた。

「とりあえず、これで実損の穴は埋まりました」

その言葉にはどこかほっとした雰囲気がある。

「では、警察への通報は」

ゆっくりと首を横にふった持川は、自嘲を浮かべた顔を上げていった。

「私は間違ってるといいたいんだろう、倉田さんは」

「いえ」

倉田は生真面目な顔のままいった。「いいんじゃないですか、これで」

返事はない。ふと何かを考えた持川は、「実は、先日銀行の人事部に連絡をしました。聞いてらっしゃいますか」、と自ら口にする。

「ええ、聞いています」

「正直、ちょっと後悔してるんです」

倉田は内心の驚きを隠そうともせず、じっと持川を見た。「倉田さんは正しかった。でも、私にはそれが見抜けませんでした」

持川はそういうと、おもむろに立ち上がり、「すみませんでした」、と倉田に頭を下げた。「今回の件は、完全に私のミスです」

あまりに唐突でどう反応していいかわからないまま、倉田は、しばし言葉を失った。顔を上げた持川の目が赤いのを見て、

「社長、もういいですよ」

こたえた倉田は、胸が熱くなった。持川は持川で、今回の事件を真剣に考え、受け止めていたに違いない。

その瞬間、それまで持川に抱いていたもやもやした気持ちが晴れて行くのに気づき、自分の単純さ加減に呆れたくなった。

「撤回されるなら、いまからでも遅くはないと思いますが」

倉田はいった。「銀行としても、そんなにしょっちゅう、人を戻されてはかなわないと思っているはずです」

「それも考えました」

持川は、寂しげな笑みを浮かべた。「でも、ウチは倉田さんに見合うだけの器ではないと思う。この何日か、私自身苦しんで、悩んで、そして考え続けたんです。私にとって銀行からの出向者の受け入れは、融資を引き出す交換条件でしかありませんでした。はっきりいって、ウチの総務は西沢ひとりいれば回る。違いますか。今回の件を通じて、私はもっと真剣に経営を考えるべきだと学んだんです」

「その考えは正しいですよ」

倉田は頷いた。「銀行出向者を受け入れて余計なコストを払うより、西沢さんを登用すべきです。彼女は仕事のできる人ですよ」

「私もそれが正解なんじゃないかと考えていました。本当に申し訳ない」

再び頭を下げた持川に、倉田は「喜ぶべきなんじゃないですか」、とどこまでも人の良いところを見せた。

「有るべき組織の姿に近づいたじゃないですか。銀行に戻っても、応援させていただきます。短い間でしたが、お世話になりました」

深々と頭を下げた倉田は、ようやく満ち足りた気持ちになって社長室を後にしたのであった。

9

午後六時前に会社を出て、中野駅に滑り込んできた各停に乗り込んだ。空いている席に腰掛け、流れ行く夕景を見ながら倉田は感慨にふける。

ナカノ電子部品の一員になろうと努力はしてきたが、結局、倉田は〝青葉銀行ナカノ電子部品出張所〟の立場から抜け出すことはできなかった。

果たしていままでの苦労はなんだったのかと思うと、どっと疲労感が増してくるのだが、持川とのやり取りで救われた気がする。だいたい、現実とはこんなものかも知れないなと、そこは生来の呑気さで思うのだった。

うまく行くときもあれば、そうでないときもある。それがサラリーマンではないか。そして、それが人生ではないか。

車窓から見える街には間もなく夜の帳《とばり》が降りるだろう。いつのまにか夏は遠ざかり、秋の気配が静かに近づいてきている。

中野駅から乗った各停電車を新宿駅で降り、山手線の内回り電車に乗り換えた。遅れが出たせいで混み合った電車が代々木駅に到着すると、出入り口付近に立っていた倉田は、一旦ホームに出て代々木駅で降りる客を待った。ドアに近い場所で降車の客をやり過ごした倉田が、あの男の存在に気づいたのはそのときだ。

ドアを挟んだ反対側の列の中である。

その存在に不意打ちを食らった倉田は、視線を男から離すことができなかった。心臓が脈打ち、どうするべきか次の行動に迷った。男は黒っぽい上下を着て、革のショルダーバッグを肩から斜めにかけていた。

知らぬ顔でやり過ごすか。それとも、声をかけて、話をするか。

そのとき、男と目があった。

相手もそこに倉田がいることにその瞬間気づいたようだったが、そこには驚きの表情はなかった。向けられた視線はじっとり湿り、すでに敵愾心《てきがいしん》を宿している。ほんの数秒、睨み合った。

降りる客が途切れ、乗客が車内に入り始める。倉田の逡巡を見透かすように男の肩が動き、笑ったのがわかった。男の視線が逸れ、倉田のことなど無視して車内に乗り込もうとする。気づいたとき、その腕を、倉田は摑んでいた。

「ちょっと、いいですか」

だが、その腕を男は力まかせに無言で振り払った。

「あんたがやったことはわかってるんだ」

再び乗り込もうとした男に、倉田はいった。手は男が手にしたショルダーバッグのストラップを摑んだままだ。車内に無理矢理乗り込もうとした男と倉田はホームで向き合った。

発車ベルが鳴り始めている。男の手が動き、ストラップを握る倉田の手を払った。

「逃げるんですか！」

しかし、次の瞬間、視界がぐるりと回転した。呼吸困難とみぞおちあたりの激痛に顔をしかめた倉田が顔を上げたとき、涙で滲んだ視界でドアが閉まるのが見えた。蹴られたという実感は後から湧いてきた。

「大丈夫ですか」

ホームで仰向けになった倉田に駅員が駆け寄って声を掛けた。「トラブルですか?」

「ええ、まあ。ありがとう」

倉田は、痛む腹の辺りを押さえながら立ちあがり、悔しさと怒りに顔をしかめた。

「もう危ないことはやめて」

倉田の話を聞いた珪子は顔色を変えた。「犯人なんか捕まらなくていいじゃない。それより、また怪我なんかしたら、その方が問題だよ」

「目の前にいて見過ごすというわけにはいかないだろ」

倉田は、不機嫌にいう。腹の辺りにはまだ、蹴られた感触が残っている気がする。

「君子危うきに近寄らずだ」

健太がいうと、「お兄ちゃんにはいわれたくないよね」、と七菜が茶化した。

それを聞き流して健太はきいた。

「で、結局、相手が誰なのかわからないままってこと?」

「まあ、残念ながら」

倉田はいい、夕食に箸をつけ始める。

「だけど、これからもまた会うんじゃない。七月に会って、また今月も会ったわけだから」

「それはどうかな」

倉田はいうと、少し遠慮がちにいった。「実はな、出向解除になる」

「どこへ？」

真っ先にきいたのは珪子だ。出向解除になれば、銀行に戻ることになる。転勤先によっては引っ越しを伴うことになるとわかっているからだ。

「しばらくは人事部付けか、検査部か、そんなところだろうけどね。いまの会社は今月末までだ」

「それにしても、中途半端だよね。まだ一年十ヶ月でしょう。出向ってそんな感じなの？」

珪子に問われ、「まあ、人事のことだから」、と倉田は適当に誤魔化すことにした。持川との相性云々といったところで言い訳がましいし、みんなを心配させるだけだ。

「でも、それもよかったんじゃない」

そういったのは七菜だ。「その男とばったり会ったりしなくなったら、もう嫌な思いをすることもないじゃん」

「まあ、そうともいえるな」と健太。「時間がたてば相手も忘れるだろうしね。記憶とともに、ゲームは自然消滅だ」

その健太は、退院した翌日、警察の枚方を訪ねて犯人の田辺のクルマに悪戯をしたことについて自首をした。調書を取られてこっぴどく叱られたようだが、田辺自身が被害届を引っ込めたこともあって事件にはならなかった。

「だとすれば、結局バカを見たのはパパということか。嫌な思いをして、追いかけられた挙げ句、今日はまた蹴られたんだからね」と七菜。

「だけど、そいつも本当はマズイと思ったと思うぜ」

健太はいった。「オヤジが転勤するなんて知らないから、きっとこれから代々木駅で電車に乗るたびに、オヤジのことを探すかも知れない。いつ今日みたいに腕を摑まれるかわからないんだからね」

「だとすればいい気味」

七菜がいった。「かくして、名無しさんは結局名無しさんのまま、去っていくのであった」

実際、倉田もそうなると思った。その翌朝ステンレス製のポストに赤く吹き付けられたスプレーを見るまでは。

落書きのスプレーはポストがかかっている門柱にもはみ出し、さらに無秩序な曲線となって車庫の壁にまで伸びていた。

「なにこれ！」

騒ぎに起き出してきた七菜が目を丸くして両手で口を塞いだ。

「諦めたわけじゃなかったわけだ」健太が舌打ちした。

「健太、防犯カメラ、回ってたよな」

朝食もそこそこに二階に駆け上がり、すぐに昨夜のビデオを再生してみる。この日が土曜日ということもあって助かった。もし平日だったら、仕事が手に着かないところだ。

「あ、ここだな」

倍速をかけて再生していた健太がいい、通常再生に変わった。

画面右上に出ている時刻表示は、午前零時二十分。玄関脇に設置したカメラが捉えた映像だ。ひとりの男が近づいてきて、カバンから何かを取り出すと、それを門柱にむかって吹きつけ始めた。スプレーである。

「この野郎」

健太がいった。「オヤジ、こいつ？」

「間違いない。着てるものも同じだ」

「この人だよ、窓の下に立ってたのは」

七菜もいった。ガスが郵便ポストに入れられる前の晩だ。

防犯カメラに捉えられた犯行時間はほんの数十秒の間だった。男はスプレーを持ったまま数メートル移動し、最後に車庫の壁にまで落書きをすると周囲に視線を走らせ、足早に立ち去っていく。車庫のカメラに、顔の表情まで映っていた。

「よし、うまくいった」

健太がいった。「もし、昨日の段階で犯人を捕まえてもはっきりした証拠もなかったけど、これでもう知らぬ存ぜぬは通用しなくなったな。昨日はあれでよかったんだよ、オヤジ。こいつは、ゆうべちょっとした復讐のつもりで来たんだろうけど、墓穴を掘ったようなもんだ」

「まあ、そういうことだな」

多少、複雑な思いで倉田はいう。「だけど、出向解除までにまたあの男を見かける可能性は限りなく低いぞ」

「まあ、それはそうだけど。ゼロじゃないでしょ」

前向きの健太らしい発言だが、そのとき、珪子が画面を覗きこんでいった。

「もう一度、再生して、健太。――ストップ」

犯人の全身が映ったタイミングで珪子はいった。「このバッグ、『マレ』のじゃないかな」

「『マレ』ってなんだ」倉田がきいた。

「バッグのブランドで、そういうのがあるのよ。婦人もののレザーバッグが中心なんだけど、紳士ものもあって、デザインに特徴があるんだ。この柄はきっとそうだと思う。小さな革を貼り合わせてあるでしょう」

たしかに、そんなデザインのバッグだった。「レザークラフトやってると、こういうデザインってすごく気になるんだよ」

「それはおもしろいな」

と健太。「ママは、そのバッグ、持ってる?」

「ひとつだけ」

ちらりと倉田を見ていった。「結構高かったんだけど、まあたまにはいいかなと思って。ここって、値引きしないんだけど、壊れたりキズがついたりしても無料で修理してくれて、一生使えるっていうのが宣伝文句になってるんだよ」

バッグを買ったことは聞いていなかったが、大目に見ることにした。

「そのブランドのショップに問い合わせて、このバッグがどこで売られたか、調べられないかな」

健太が目を輝かせた。「それがわかれば、名無しさんに名前をつけることができるかも知れない」

10

防犯カメラのスチール写真を持った倉田が、珪子とともに『マレ』のショップを訪ねたのは、翌日曜日の午後のことであった。

六本木ヒルズに近い洒落たビルの一階にあるショップは、美しい並木道に面した店で、倉田としては入るのにちょっと勇気がいるほどだ。人気ブランドのフラッグシップ店は、ぴかぴかに磨き上げられたショーウインドーに、かわいらしいデザインのバッグを並べ、この界隈にふさわしく輝き華やいでいる。

「すみません。ちょっとお伺いしたいんですが」

近くにいる店員に声をかけた倉田は、持ってきたスチール写真を見せた。「この写真に写っているバッグなんですが、おたくの店で扱っている商品ですよね」

二十代後半の黒いスーツを着こなした女性店員だ。それほど広いわけではない店内には、女性客が数人いて壁に並べたバッグを見ている。

「ちょっと、よろしいですか」

店員は立ったまま写真を見、「メンズのバッグですね。このタイプのバッグはたしかウチで扱っていたと思いますが、少々お待ちください」、そういって店の奥に消えると、すぐに分厚いカタログをもって戻ってきた。

倉田と珪子をカウンターに招き、慣れた手つきでカタログを捲り始める。すぐに目的のページを探り当てた。

「おそらく、このシリーズのバッグだと思うんですが」

向けられたページには、ベージュのショルダーバッグの写真が掲載されていた。単品の写真ではわかりづらいが、モデルの男性が肩から掛けている写真を見ると、たしかに防犯カメラに写ったバッグと大きさやデザインが似通っているのがわかる。だが、どう見ても色は違うし、デザインも似てはいるが同じではないように、倉田には見えた。

「ウチは手作りなので、ひとつひとつ微妙に違うんです」

店員が説明した。「そちらのバッグも、量産品ではないので同じものはありません」

この聞き込みを少しでも有利にしようと珪子が提げてきたハンドバッグを手で示して笑顔を作って見せる。どうやら少しは効果があったようだ。

「どのお店で売られたものか、わからないでしょうか」

珪子がきくと、「原宿店で扱っているはずですよ」、という返事があった。

「『マレ』のメンズは原宿店に集めてありますので」

「そうなんですか。ありがとうございます」

礼を言って店を出た倉田は、地下鉄とJRを乗り継いで原宿駅まで行き、もらった地図を頼りに原宿店を訪ねた。

原宿駅から表参道を下り、明治通りを渋谷方面へ少し歩いたところにあるショップだ。

道路に面した間口は狭く、一方で奥行きのある店内には、両側の壁に様々なタイプのバッグがディスプレイされていた。どれもメンズ向けバッグで、店内にいるのも三十前後の男性客ばかりだ。

倉田は、近くにいた女性店員に声をかけた。

「すみません、このバッグ、こちらで扱ったと聞いてきたんですが」

スチール写真をのぞき見た店員は、一瞥して、「ええ、そうですね」、といい、用向きを問うような眼差しを向けてくる。

「このバッグを売った相手は、わからないでしょうか」

倉田が問うと、店員は顔に不審の気配を浮かべた。普通の買い物客ではないと悟ったらしい。

「記録を調べれば、ある程度はわかると思いますが、どういったご用件でしょうか」

「実はこれ、ウチの防犯カメラが捉えた映像のスチール写真なんです」

切り出した倉田は、それまでの経緯を簡単に話し、この店を訪ねた理由を説明した。

全て話し終えたとき、店員が浮かべたのは戸惑いであった。気持ちはわかる。それから、「少々お待ちください」、といって離れると、店内にもう一人いたさらに年配の女性店員のところへ行って話し始めた。すぐにその年配店員がやってきた。

「私、責任者の酒井と申します」

名刺を差し出して挨拶した店員は四十前後の、しっかりした印象の女性だ。「いまお話を伺いましたが、大変ですね。どうぞ」、と奥のカウンターに案内して椅子を勧めてくれる。

「この件は、警察にはお話しになったんでしょうか」

「もちろん、警察には届けていますし、このスチール写真もすでに渡しています。ただ、お分かりになるかどうかわかりませんが、警察に任せておいてもなかなか捜査してくれないんです」

倉田はいった。「それで、私たちでできるだけ調べようと思いまして」

「なるほど」

酒井は少し考え、ふいに立ちあがると六本木本店でも倉田たちが見たカタログをもってきて広げた。

「このタイプのショルダーだと思います。去年のモデルですね」

商品を特定すると、今度はカウンターの内側にある抽斗を開け、バインダーに挟まれた書類を広げた。

「それですと、当店で五個販売してます。メンズは当店でしか扱っていませんから、これはそのウチのひとつのはずです」

「それを、どなたにお売りになったか、わかりませんか」

倉田がきくと、酒井は複雑な表情を浮かべた。犯人が自社ブランドの愛用者であることにも当惑しているに違いない。

「それは去年の売上伝票を見てみないとわからないんですが、ちょっとお時間を戴かないと」

酒井はいった。「それと、申し上げにくいんですが、そこから先は個人情報なので――」

「わかっています」

倉田はいった。最終的に個人情報の壁が立ちはだかることは、あらかじめ予想していたから驚きはしない。それより、バッグの種類と販売店が判明し、さらに五個にまで特定できた成果のほうが遥かに大きかった。

「もし、警察を連れてきたら、協力していただけますか」

「そうしていただけると助かります」

酒井はいった。「事前にお知らせいただければ、上の者にも説明して正式な許可を得ておきます」

「では、近いうちにお伺いすることになると思いますので、その節にはよろしくお願いします」

忙しいときに時間をとってもらった礼をいうと、珪子とふたりその店を出た。

倉田が家族と共に、都筑警察署の枚方と待ち合わせてショップを再訪したのは、二日後の火曜日、午後六時のことであった。

「一応、記録を当たってみました」

店の奥にあるテーブルに通された倉田家と枚方の前で、酒井は付箋の貼られた販売元帳を広げて見せてくれた。この日、最初は倉田と枚方のふたりでここに来るはずであった。だが、珪子や健太、そして七菜までもが一緒に行くといってきかなかったのである。

「このうち三つは会員登録されている方への販売なのでその方たちの住所と氏名はすぐにわかるんですが、あとの二つは会員さんではないので、ちょっと……」

申し訳なさそうに、酒井は説明してくれる。

「その会員登録されている方の情報を見せてもらえますか」

枚方がいうと、パソコンから打ち出した個人情報のアウトプットが差し出された。

失礼します、というと枚方が一枚ずつ見ていく。

倉田も隣から盗み見た。

「ふたりは女性か……」

意外な事実に枚方が顔を上げた。「だけど、このバッグは男用ですよね」

「贈り物だと思います」

「なるほど」

酒井の説明に納得し、そこにある住所と氏名、電話番号をノートに書き込む。

個人情報には、年齢が記されていた。

残った会員のひとりは、今年二十三歳の若い男で、住所は横浜市内になっている。

「年齢が合いませんね」

倉田がいったとき、「この方じゃないと思いますよ」、と酒井がいった。「先日もお財布を買いに来られたとき、私が応対して顔はわかっていますから」

「なるほど」

それでも念のために枚方は連絡先を書き写して、いった。「さて、問題は残りのふたつですね」

「どちらも一見のお客さんだと思うんですけど、それだとウチにも記録がないので……すみません」

「このバッグ、いくらですか」

倉田がきくと、酒井は手元の資料をひっくり返してすぐに値段を教えてくれた。

「八万五千円ですね」

「だったら――」

倉田はいった。「このお店の客層はわかりませんが、一般的には現金で買うひと少ないんじゃないですか。クレジットカードの決済記録、確認していただけないでしょうか」

「オレもいまそう思ったところ」と健太。

「それでしたら、店に保管してあるはずです。少々お待ちください」

そういって、酒井はまず、二個のバッグの販売日をPOSデータで調べ、それから事務所の棚から段ボール箱を下ろして中に綴られている控えを探してくれた。

倉田が指摘したように、やはり二個とも、クレジットカードで支払われていることがわかったのは、まもなくのことだ。

名前から判断すると、カードで決済したのはふたりとも男性だった。

そのカード番号と決済日と金額が枚方のノートに記録され、丁重に礼を言った倉田たちは枚方とともに店を出た。

「あとは、我々に任せてください」

そういって一礼すると、枚方は、ひとり原宿駅のほうへ去っていく。

「ほんとにやってくれるのかなあ」

その背中を見送りながら倉田は、半信半疑でいる健太の肩をぽんと叩く。「出来ることはやった。あとは信じて待つしかない」

それから午後七時を指している腕時計をちらりと見て、提案した。

「どうだ、たまにはこのヘンで食べて帰らないか」

署に戻った枚方の話を聞いた尾村は、「それで、どの客から行きますか」ときいた。

「確率の高いほうから行こうや」

枚方はニヤリと笑いを浮かべる。「馬鹿正直に五人全員あたるほどオレ達は暇じゃない。どの客だと思う」

「そうですね」

尾村は考えた。「犯人は三十歳前後、おそらく代々木駅を通勤で利用している。誰かにプレゼントしたと予想される女性客は後に回しましょう」

「それで」枚方はきいた。

「これだな」

尾村は、枚方がクレジットカード会社で調べてきた二人分のデータと、ショップでコピーしてきた三人分の会員データからひとつを指さした。「勤務先は市ヶ谷。自宅が中目黒。ただ、年齢は三十七歳ですから、倉田さんの目撃証言よりも少し上なのが気になりますが」

「相手をじっくり見たわけじゃないし、こういう業界の連中は、見た目より若く見えるもんさ」

タバコに点火した枚方は、そういって目を細くした。

職業は、大手出版社の社員だということはわかっている。クレジットカードを利用して購入した客のひとりだ。

11

その男が勤める出版社に、枚方たちが出向いたのは、九月最後の水曜日であった。

実はこの朝、一日男の自宅に出向き、話を聞いて任意同行をかけるつもりだったが生憎の不在。郵便受けに昨日の新聞があるのを見て、こちらに回ったのである。仕事が不規則な雑誌編集者という職業柄、自宅を訪ねるより、会社を訪ねたほうが確実かも知れない。

訪問表に記入して受付に出すと、「アポイントはしてありますか」、と受付の女性が聞いてきた。

いいえ、と答えて警察の身分証明を見せる。すぐに繋いでくれた。

どうやら在席していたらしい。受付係が相手と話し出したのを確認して、枚方は尾村と目配せした。

「都筑警察署の方がいらっしゃってるんですが。——はい。——少々お待ちくださ い」

受話器を手で押さえ、受付の女性が枚方を見た。二十代半ばの、美しいが、ちょっと個性に乏しい表情の女性であった。

「どのようなご用件でしょうか」

「管内の事件について、事情をお聞きしたいんですが」

「お急ぎですか？」

受付係の質問を通じて、相手の警戒感が滲み出ていた。

「急ぎです。待たせてもらいますよ」

背後の一階ロビーを振り返って枚方はいった。そこには、簡単な打ち合わせができるようにテーブルと椅子のセットがいくつも置いてある。

「お待ちになるそうです」

受付係は電話の相手に向かっていい、しばらく耳を澄ませた。受話器を置くと、「いま降りてまいりますので、あちらでお待ちください」、そういって待合スペースを指す。

奥の席を選んで、尾村と並んでかけた。全面がガラス張りになっている表通り側から、秋らしく輝く日差しが降り注いでいる。しかし、いま枚方にその美しさは何の感慨も運んではこない。面談室は、枚方たちの他に離れた席で一組が打ち合わせをしているだけで閑散としていた。

倉田家の防犯カメラに映った容疑者の風体は、頭に叩き込んである。バッグのデザインもだ。相手を一目見れば、写真の人物かどうかわかるはずだ。

五分ほど待っただろうか。

枚方が時計に視線を落としたのと、隣の尾村が顔を上げたのはほぼ同時だった。

「枚方さん」

尾村の小声に、おっ、と短くこたえる。いま痩せた男が、エレベーターホールから俯き加減に歩いてくるところだ。

　こいつだ。

　枚方が確信したとき、どこか不機嫌で、呼び出されたことに内向きな怒りを抑えているような顔をして、男は枚方たちの前に立った。本当に不機嫌なのか、単に虚勢を張っているのか、その表情を見ただけではわからない。

「なんですか、用って」

　その仏頂面のまま、赤崎信士《あかさきしんじ》はいい、向かいの椅子に腰掛けた。

　長めの髪をさっとかき分けた仕草は、いかにも業界人っぽい雰囲気であった。ラフに見えるが着ているものは安物ではない。気取ったインテリ風の男が枚方は大嫌いであったが、いま目の前にいる赤崎はまさにその典型だ。

「都筑警察署の枚方といいます。こちらは、尾村」

　尾村は、赤崎に視線を向けたままにこりともしない。相手が本ボシだと確信したときの、いつもの態度だ。

「なぜ、我々が来たかわかりますか、赤崎さん」

　枚方がきいた。

「なんのことですか」

赤崎は唇の端にゆがんだ笑いを挟んだ。小馬鹿にしたような笑いに、枚方には見えた。

「あなた、七月二十四日の午後八時半過ぎに代々木駅で倉田さんという方とトラブルになりましたよね」

枚方は続ける。

「七月二十四日ですか？　覚えてないんですけど」

赤崎はいった。むっとした口調に、挑むような眼差し。だが、赤崎は不安なはずだ。警察がなぜ赤崎を特定できたのか、その理由がわからないだろうから。なぜ、自分の身元が突き止められたのか、それを確かめたい衝動に駆られているに違いない。

「覚えていないことはないでしょう」

尾村がいった。「その後、倉田さんの後、尾けてったよね」

「なんのことだか」

赤崎は笑いながら、首を横にふった。

尾村はノートを広げ、続ける。

「七月二十五日の未明、門扉から不法に侵入し、花壇を壊しましたよね。さらに七月三十日の未明には郵便ポストに虐待した猫を入れた」

「いったい、なんなんですか」

赤崎はあきれて見せた。「意味がわからないよ」

「そうですか？」

尾村は続ける。「まだある。五日前には、駅で倉田さんに見つかって腹を蹴って転倒させた上に、深夜、倉田さんの自宅門扉にスプレーで落書きをした」

赤崎は、ふうとため息をつき首を横に振っている。

「じゃあ、これ見てくれますか」

枚方が鞄から出してテーブルに滑らせたのは、一枚の写真だった。倉田家の防犯カメラに映っていた男のスチール写真だ。

それを見た途端、赤崎の顔が強ばるのがわかった。

「これ、あんたでしょ、赤崎さん」

枚方は写真をとんとんと指で叩いていった。「こんなことで手間取らせてもひとつもいいことないよ」

「違いますよ」

「じゃあ、ちょっと、ここ見てくれる」

枚方はいい、写真のある箇所を指で指し示した。それを見た途端、赤崎は悟ったはずだ。なぜ刑事が自分のところにまで辿り着いたのかを。

シラを切っていた赤崎の頬のあたりに朱が差し、瞳が揺れた。

「ショルダーバッグ、写ってるよね。あんた今日、どんなバッグ持ってるか、見せてくれないかな」

「バッグが似てたら、犯人扱いですか」

精一杯の虚勢を張った赤崎の唇が震えていた。胸ポケットに指を滑らせてタバコの箱から一本抜いて火を点ける。

赤崎にとっては無意識の動作だったかも知れない。だが、いま枚方は、その仕草を瞬きすら忘れて観察していた。

「七月二十九日の夜、あんたは倉田さん宅前の道路でしばらく家を眺めてたんだってね」

枚方がいった。「そのときも赤崎さん、タバコ吸ったでしょ」

警戒する目が、枚方を見た。

「なんのことですか」

やがてそんな言葉が洩れてきたとき、枚方は新たな写真をテーブルに出した。それを見たとたん、赤崎は口を開けたまま動かなくなった。唇に挟んだタバコは燃え続けているが、自分がタバコを吸っていることすら忘れてしまったかのようだ。

その写真には、ショートホープの吸い殻が写っていた。

「あんたが捨てたタバコ、倉田さんが拾ってくれたんだよ」

枚方はいった。「ショートホープだよね」

赤崎が左手に握ったままのショートホープの箱を一瞥して、枚方は指摘する。

「言い逃れができると思った、赤崎さん？」

尾村がドスの利いた声でいう。「なんならＤＮＡ鑑定しようか」

叱られて言い訳を探しているような表情で、赤崎は、落ち着きなく視線を左右に揺らし始めた。

呼吸困難になってしまったかのように、喉をひくつかせる。だが、反論しようとしたらしい赤崎からついに言葉はなく、やがて力尽きたようにがっくりと頭を垂らした。

12

倉田が新しい辞令を受け取ったのは、ナカノ電子部品への出向が解除される一週間前のことであった。

検査部部長代理検査担当――それが倉田の新しい肩書きだ。部長代理というと偉そうに聞こえるが、部下はいない。〝象の墓場〟と揶揄《やゆ》される検査部だ。部長代理は、いわば次の出向待ちポストに他ならない。

都筑警察署の枚方から犯人逮捕の一報を受けたのは、その辞令を受け取った数日後のことである。わざわざ倉田家に訪ねてきた枚方から、犯人の赤崎信士についての詳しい話を聞いたのは、そのさらに一週間後になった。

赤崎は、市ヶ谷にある大手出版社、青嵐社に勤める編集者だった。「週刊東京芸能」という週刊誌の編集部に所属しており、肩書きは副編集長。独身で、中目黒駅に最近できた高級マンションに住み、取材名目でのタクシー代は自由に使える――。枚方が語る赤崎のプロフィールは、防犯カメラのスチール写真を見て健太が分析してみせたものと、驚くほど一致していた。

「倉田さんに注意されて、ついカッとなって仕返ししてやろうと思ったそうです」

赤崎の供述内容を語る枚方の口調は、感情を抑え、淡々としている。それがあまりに平板であるがために、倉田の中で肉付けされた赤崎という男の素顔は、一幅の絵画のように平面的であった。

「一流大学を出てプライドが高く、自分だけは正しいと思い込んでいる。まさに自己中心的な男ですよ。その意味で、同情する余地はまったくありません」

枚方はそう断言した。「最初に注意されたときには、人気のないところまで倉田さんを尾けて、暴力を振るうつもりだったと供述しています。倉田さんが走って逃げたのを追いかけ、その後、コンビニに入るところも見ていたそうです。そこで奴は考えを変えて、自宅を突き止めて、嫌がらせしてやろうと思いついたと。そこから先は、倉田さんもご存知のことをやらかしたわけです。先日、二ヶ月ぶりに倉田さんを見たとき、腕を摑まれたことで激しい怒りを感じたそうです」

「それは逆じゃないですか」

思わず、倉田は指摘した。「怒りを感じたのはこちらのほうです。その赤崎という男が理不尽なことをしたからそうなったのに」

「おっしゃる通りです」

枚方は冷静な口調でこたえた。「しかし赤崎は、そのとき衆人環視の中で倉田さんに腕を摑まれたことで恥ずかしかったと、そういうんです」

「人格が破綻してるよ、そいつ」

健太が鋭く言い放った。「自分勝手過ぎない？」

「赤崎はいままで常に勝ち組でした」

そのとき枚方が口にした一言に、倉田は顔を上げた。「これは本人がそう語っていることです。そして、自分は挫折したこともなかったと。ところが、雑誌の特集企画を取りまとめる仕事を任されてからの赤崎は、ライバル誌との部数競争で劣勢に立ち、部数減の責任を問われるようになっていました。週刊誌の部数争いは熾烈で、社内だけでなく世間一般の注目度も高い。ここでの負けは、広告収入にも直結する一大事です。ところが、赤崎がとりまとめる企画は、思うように読者を獲得することができず、迷走し続けていたそうです」

枚方は続ける。

「本人曰く、ギリギリの精神状態に追い詰められ、頭の中は企画のことで一杯で他人を顧みる余裕もなかったと。最初に倉田さんが注意した順番抜かしは、まさにそのタイミングでのことだったようです。そのときのことを、赤崎はあまり覚えていないといってまして」

倉田は、ぽかんとして枚方を見つめた。「考え事をしていて周囲が見えず、ただ電車に乗ろうとしただけだと。そのとき、倉田さんに押されて、初めて我に返ったと、そういっています。つまり、悪気はなかったのだと。だから余計に腹を立ててしまったというのが奴の言い分です」

「赤崎には情状酌量の余地があったと」

倉田はきいた。だからといって、同情する気にはなれない。

「なに正当化してんだよ」健太が小声で吐き捨てた。

「仮にそれが事実でも――」

倉田はいった。「謝罪しませんか。私ならそうします」

「もちろんです」

枚方は、倉田とその家族を見た。「実際、赤崎は、みなさんに謝罪したいといっています。申し訳なかったと伝えてくださいと、言付かってきました。一応、ご報告しておきます」

束の間、倉田家のリビングに沈黙が落ちた。

それが本心からの言葉なのか、倉田にはどうにも判じかねた。同じことを思ったらしく、「口先だけなんじゃないの」、と健太も冷ややかだ。

「その方、これからどうなるんですか」

珪子がきいた。「刑務所に入ったりするんですか」

「まだ取り調べ中ですから、今後どうなるかはわかりません」

枚方はいい、「ただ私見ですが」、と断った上で続けた。

「赤崎は今回の犯罪について自分の容疑を全面的に認めておりまして謝罪の意思も表していています。最終的に在宅起訴で罰金といったところになる可能性はあります」

可能性は、のところを強調して枚方はいった。

「たった、それだけ？」拍子抜けしたように、七菜。

「いま、赤崎はどこにいるんですか」健太がきいた。

「まだ署内に勾留《こうりゅう》しています」

すでに逮捕から十日ほどが経っている。

「いつまで勾留するんですか」

「勾留延長になるでしょうから、あと十日ほどは」

「赤崎にとって、それは相当のペナルティになるでしょうね」

倉田がいうと、「その通りでして」、と枚方も控えめにいった。「青嵐社の話では懲戒処分になるだろうと」

「クビになってしまうんですか」驚いた口調で珪子がきいた。

「それは今後の状況次第なんでしょうが、すでに副編集長職を解かれて人事部付けになったそうです」

枚方はこたえた。

「人生、終わったな」

健太はいい、どうする、と問うように倉田を見た。

「心から謝罪しているのなら、謝罪は受け入れます」

やがて倉田はいった。刑事事件としての落としどころは略式起訴の罰金刑でも、赤崎は十分に社会的制裁を受けることになる。

「もう二度とわが家に近づかないようにいってもらえませんか」

倉田は心の底からいった。「できるだけ早く忘れて、普通の生活に戻りたいんです」

倉田が望むのは犯人への厳罰ではなく、妻とふたりの子供たちとの平穏な生活に他ならない。

「もし、それが適うのならほかに何も望みません。その人のことも、できれば穏便に済ませてやってください」

「甘いんじゃないか、オヤジ」

健太がいったが、倉田は首を横にふった。

「いいじゃないか、もう」

争い事は嫌いで、お人好しだ。

愚直で不器用だが、至極真っ当な人生を歩んできたとの自負だけはある。そのどこが悪い。

「お気持ちはわかりました」

枚方はそういうと腰を上げ、丁寧に頭を下げて帰っていった。

腕時計を見ると午後十時を指していた。

倉田のために開かれたささやかな送別会は、午後六時から会社近くの中華料理店で始まり、その後駅前のスナックに場所を移しての二次会が撥ねたところだ。

これからもう一軒行くという社員たちと改札前で最後の別れを告げた倉田は、残った摂子とホームに上がった。

残暑の名残と秋の気配が入り混じった夜気の中で電車を待つ。

「いろいろありましたねえ」

しみじみとした摂子の言葉に、「ほんとうにね」、と倉田も応じる。

「部長、今までありがとうございました」

深々と頭を下げ、ふたたび顔を上げたときの摂子の目に涙が光っているのを見て、倉田はぐっときた。茶髪でシングルマザー。だけど、経理は凄腕。こんな素敵な部下はいままでいなかった。

新宿方面へ向かう総武線が滑り込んでくる。

空いた電車で新宿まで行き、山手線に乗り換えた。その電車が代々木駅で停車したとき、倉田は思わずホームに「名無しさん」の姿を探そうとした自分に気づき、苦笑した。

何人かの客が降り、そして乗り込んでくる。

だけど、名無しさんは、もういない。

ここに乗り合わせた誰の名前も知らないが、それぞれに名前があり、それぞれの尊い人生を生きている。

そのことに思い至ったとき、唐突に倉田は心打たれた。倉田の中で名無しさんは名無しさんではなくなり、ひとりひとりの人間になる。

そして気づいた。

この人たちにとって、倉田もまた名もない人間であることに。

そして倉田もまた、自分の人生を必死で生きているひとりの人間であることに。

解説——池井戸潤の過去と現在がブレンドされた贅沢な一品

村上貴史（文芸評論家）

■電車にひそんでいた危険

世のサラリーマンの大半は電車通勤をしている。昨年、五十一歳で銀行から取引先に出向した倉田太一という本書の主人公もそうだ。そして、その電車通勤のなかに、危険はひそんでいた。

中野にある会社からの帰路、山手線の代々木駅でのことだった。列を無視して電車に乗り込んできた三十代らしき男を、彼は叱りつけた。日頃はそんなことはしないのに、だ。他の乗客の後押しもあって男は別のドアに移動し、一件落着かと思えたが、そうではなかった。横浜市の港北ニュータウンにある自宅の最寄り駅で下車した倉田は、男もまたその駅にいることに気付いたのである。自分を尾行してきたのか？　自宅に向かう倉田を、男はひたひたと追ってくる。急に走り出すなどして男を振り切ったつもりだったが、翌朝、そうではないことが判明した。自宅の花壇が荒らされていたのだ。そう、倉田は逆恨みのターゲットにされてしまったのである……。

同じ列車に乗ろうとしていた、というだけの縁で、倉田と男は結びついてしまった。男は倉田がどんな人間かもまったく知らぬままに、それこそ倉田の名前すら知らぬままに、倉田に強烈な悪意を抱いたのである。この冒頭が、まず怖ろしい。いつどこで誰の恨みを買うか判らず、その恨みによって〝わが家〟が――自分と家族が――狙われてしまう。しかも、根本原因はその行儀の悪い男にあるにも拘わらず、仕返しの昏い炎を燃やす男の主観によって、男の腹の虫が治まることならなんでもオーケイ、気にくわないことはすべてNGというルールでのゲームが始まってしまうのだ。

長髪男の攻撃は花壇だけにとどまらず、さらに継続するのだが、倉田太一を悩ませる問題は、それだけではなかった。彼が総務部長として勤めるナカノ電子部品株式会社でも異常事態が発生したのだ。棚卸しの際に、二千万円分の商品在庫が消えていることが判明したのである。営業部長の真瀬に確認に赴くものの、体格が良く声も大きな真瀬に逆に文句を言われて、倉田は言い返せずに引き下がってしまう。だが、在庫は確かに帳簿と食い違っているのだ。かくして倉田は社内の問題との闘いも始めなければならないことになったのだ。銀行から出向してきた〝外様〟という立場で……。

家庭を襲う悪意と、会社内で色濃くなる疑惑。それに倉田太一は立ち向かうわけだが、彼はなかなかに貧弱なヒーローだ。外見は、線の細そうな青白い顔に瘦けた頰でみすぼらしい。そして小心者だ。腹を立てても、言いたいことの十分の一も言えなかったりする。銀行での成績はほどほどで、なんとか副支店長という役職は得たものの、豪腕で鳴る支店長からダメ管理職のレッテルを貼られてナカノ電子部品株式会社に出された。他の部長にはなめられ、部下にはダメ上司と思われている。

要するに倉田太一は、肉体的にも心理的にも、おおよそ二つの問題と同時に闘うようなヒーローではないのだ。闘いに臨むのではなく、妻と二人の子供との平穏な日常を愛し、まっとうな人生を歩む——それが倉田太一の生き方だった。池井戸潤史上、最弱の主人公といえよう。だが、問題が彼に襲いかかってきてしまったのだから、最弱であろうとなんであろうと、なんとかするしかない。なんとかしないことには、家族との平穏な日々もなければ、会社生活はもとより会社自体も危ういのだ。

池井戸潤は、倉田に対してこんな試練を与えると同時に、家族と部下という味方も与えた。妻、そして私立大学に通う息子、そして高校生の娘という家庭内の味方であり、あるいは茶髪でシングルマザーでありながら経理の能力に優れている部下の西沢摂子という職場での味方だ。その味方のそれぞれが、各自の持ち味を活かして倉田を支援する。なかでも、倉田の息子の健太と部下の摂子の協力が効果大である。主人公と家族や部下がこうして協力していく姿がまずは本書の魅力だし、彼等から力を得て最弱の主人公が二つの深い問題と闘っていく姿もまた、本書の魅力だ。

■池井戸潤に訪れた変化

池井戸潤にとって、長編小説がいきなり文庫で刊行されるのは、本書が初めてである（短篇集は二〇一一年に『かばん屋の相続』がある）。本書は純然たる書き下ろしではなく、雑誌『文芸ポスト』の連載（〇五年秋号〜〇七年冬号）に加筆訂正を行ったものだ。この連載期間中に、池井戸潤は作家として変化を遂げていた。

最も重要な変化は、複数の視点から一つの物語を描いていく『シャイロックの子供たち』を完成させたことであろう。〇三年から〇四年に雑誌連載で第六話までを書き上げ、それに第七話から第一〇話の書き下ろしを加えて〇六年に完成させたこの作品において、池井戸潤は物語作りに開眼したという趣旨の発言をしている。その物語作りの変化を解説者なりに要約すれば、プロットの都合で登場人物を動かすスタイルから、登場人物そのものに着目し、彼等の人生をきっちりと考え抜き、彼等の自発的な行動によって物語を動かすスタイルに変わったということだ。そしてこの新たなスタイルで書き上げた『空飛ぶタイヤ』（同年九月刊行）が直木賞や吉川英治文学新人賞の候補になったのも、この『ようこそ、わが家へ』を連載している最中のことであった。そう、本作品を連載している最中に、池井戸潤は、作家としての内面においても、彼を取り巻く外部の評価においても、大きく変化していたのである。

その変化を語るために、本稿では便宜的に『シャイロックの子供たち』よりも前の作品群、具体的には『果つる底なき』から『銀行仕置人』までを池井戸潤バージョン1（V1）と呼び、『シャイロックの子供たち』以降をバージョン2（V2）と呼ぶとしよう。V2になってから上梓した作品は、ご存じの通り、それまで以上に高く評価され、多くの読者を獲得している。『鉄の骨』（〇九年）による吉川英治文学新人賞受賞や、『下町ロケット』（一〇年）による直木賞受賞などは、その好例といえよう。

そうした変化を経ての現在（一三年）である。内面の変化の前に書き始め、世の中の評価が変化する前に書き上げた『ようこそ、わが家へ』を上梓するにあたり、池井戸潤がたっぷりと改稿したくなったとしても無理はない。連載終了から刊行までの六年という時間は、他の作品を発表していたという事情ももちろんあろうが、現在の池井戸潤が自信を持って世に送り出すために作品を磨く時間として必要だったのだろう。

そして読者に提供された本書は、江戸川乱歩賞受賞作家・池井戸潤の名にも、直木賞受賞作家・池井戸潤の名にも、全く恥じぬ出来映えである。企業小説として、家族小説として、さらにサスペンス小説として、読みやすく、かつ読み応えがある。もちろん、個々の登場人物の人生もしっかりと語られていて、その人生によって編み上げられた物語となっていることはいうまでもない。

■二つの異なるサスペンス

本書について特筆しておきたいのが、サスペンスの要素だ。

近年の池井戸作品においては、例えば『鉄の骨』にしても『下町ロケット』にしても、ビジネス上のサスペンスはたっぷりと盛り込まれていたが、それはあくまでも仕事上の（社会人としての）危機であった。それが本作品では、主人公やその家族の肉体に直接危険が及んでくる。命すら脅かされるのだ。

池井戸潤は、かつてはこうした肉体的サスペンス要素を小説に盛り込んでいた。例えば江戸川乱歩賞を受賞した『果つる底なき』（一九九八年）でもそうだし、『BT'63』（〇三年）でも片足が義足の殺し屋・猫寅なる怪人が肉体的恐怖を演出していた。『最終退行』（〇四年）では金融ミステリに冒険小説要素を盛り込んだりもした。Ｖ１時代は、池井戸作品の重要な柱の一つが、サスペンスだったのである。

こうした池井戸流サスペンスは、『ＭＩＳＴ』という作品に色濃く表れていた。雑誌連載に大きく手を入れて〇二年に単行本として刊行された一冊である。中部地方のU県の田舎町で発生した殺人事件が、連続殺人へと発展していき、さらに過去の未解決事件とも関連していくというこの作品は、まさにサスペンス小説そのもの。平穏だったコミュニティが、突如暴走を始めた殺人鬼の刃によって恐怖に陥っていくのである。殺人鬼の正体が不明な上に、刃を振るう動機も不明。田舎町を恐怖が包み込むのである。本書で倉田一家を理不尽な恐怖が襲ったように。さらにこの『MIST』は、その殺人鬼に立ち向かう駐在・上松五郎が、倉田太一並みに弱腰である点でも、本書と共通点を持つ。企業小説要素は皆無だが、池井戸潤という作家が本書『ようこそ、わが家へ』に到達するまでの歴史として意識しておきたい一作だ。

また、V1時代の作品では、上松五郎だけでなく、銀行支店での雑務を主業務とする庶務行員（〇三年『仇敵』）や、エリートコースを外れ座敷牢といわれる職場に追いやられた男（〇五年『銀行仕置人』）など、弱者が主人公の作品も少なくない。弱者という設定が、サスペンスを盛り上げる上で有効だったのだろう。こうした点に着目して、当時の作品を読んでみるのも一興である。

ちなみに出向という観点では、池井戸潤を代表するシリーズの第二弾『オレたち花のバブル組』（〇八年）に注目しよう。銀行から取引先に出向したという立場は『オレたち花のバブル組』の主人公の半沢も本書の倉田太一も同じなのだが、その振る舞いは、決して同じではない。その相違も、V1とV2の相違の一例として、是非味わい較べて戴きたい。ちょうどよいことに、本書が書店に並ぶのとほぼ同日に、半沢の物語の第一作『オレたちバブル入行組』(〇四年)と第二作を原作としたドラマ『半沢直樹』がTBSでスタートする。相違を味わうには、これ以上ないというくらい絶好のタイミングなのである。

■贅沢極まりない文庫本

この『ようこそ、わが家へ』。倉田の〃わが家〃に起きたことを考えると、実に意味深長で、かつ力強く、奥底に勇気を湛えた言葉を題名に選んだことが理解できる。そんな素敵な題名を得た本書は、V1時代のサスペンスに満ちた着想を、V2時代の徹底的に人間を重視する手法で完成させた贅沢な一冊である。そんな池井戸潤の新作を文庫で極めて手軽に読めるというのも、これまた贅沢である。しかもその新作を、電車の乗客というモチーフを通じて読者が自分自身の物語として読めるのだ。まさにとことん贅沢な文庫本である。

本書のプロフィール

本書は、「文芸ポスト」二〇〇五年秋号から二〇〇七年冬号に、六回にわたって掲載された同名作品を加筆修正し、文庫オリジナルとして刊行するものです。

小学館文庫

ようこそ、わが家《や》へ

著者　池井戸《いけいど》 潤《じゅん》

二〇一三年七月十日　初版第一刷発行
二〇二五年九月二十九日　第二十四刷発行

発行人　三井直也
発行所　株式会社 小学館
〒一〇一‐八〇〇一
東京都千代田区一ツ橋二‐三‐一
電話　編集〇三‐三二三〇‐五九六一
　　　販売〇三‐五二八一‐三五五五
印刷所――TOPPANクロレ株式会社

この文庫の詳しい内容はインターネットでご覧になれます。
小学館公式ホームページ　https://www.shogakukan.co.jp

ISBN978-4-09-408843-4